CW00340890

£ 9-95

The LITTLE BLACK SONGBOOK

POP & ROCK

Published by
Wise Publications
14-15 Berners Street, London, W1T 3LJ, UK.
Exclusive distributors:
Music Sales Limited
Distribution Centre,
Newmarket Road, Bury St Edmunds, Suffolk, IP33 3YB, UK.
Music Sales Pty Limited
120 Rothschild Avenue, Rosebery, NSW 2018, Australia.

Order No. AM986172
ISBN 1-84609-629-4

This book © Copyright 2007 Wise Publications,
a division of Music Sales Limited.
Unauthorised reproduction of any part of this publication by
any means including photocopying is an infringement of copyright.

Printed in China.

www.musicsales.com

This publication is not authorised for sale in
the United States of America and / or Canada

Wise Publications
part of The Music Sales Group
London / New York / Paris / Sydney / Copenhagen / Berlin / Madrid / Tokyo

All That She Wants

Words & Music by
Buddha & Joker

Intro | N.C ‖

C#m   G#m7   F#m7
    She leads a lonely life,   ooh,

C#m   G#m7   F#m7
    She leads a lonely life.

‖: C#m | C#m | G#m | F#m7 :‖
(Whistling)

          C#

Verse 1   When she   woke up late in the morning light

        B   F#
and the day had just be - gun,

      C#
She opened up her eyes and thought,

G#m7
      'Oh what a morning'.

C#
   It's not a day for work,

      F#   F#m7
It's a day for catching tan,

  C#   G#   F#
Just lying on the beach and having fun,

She's going to get you.

   C#m   G#m7

Chorus 1 All that she wants is another baby,

      F#m7
She's gone tomorrow boy,

   C#m   G#m7   F#m7
All that she wants is another baby, yeah.

   C#m   G#m7
All that she wants is another baby,

      F#m7
She's gone tomorrow boy,

   C#m   G#m7   F#m7
All that she wants is another baby, yeah.

© Copyright 1992 Megasong Publishing, Sweden.
Universal Music Publishing Limited.
All Rights Reserved. International Copyright Secured.

Link 1 ‖: C♯m │ C♯m │ G♯m7 │ F♯m7 │

│ C♯m │ C♯m │ G♯m7 │ F♯m7 :‖
                                    All that she wants.

Verse 2
                    C♯m
          So if you are in sight and the day is right,
                  G♯m7   F♯m7
          She's a hunter you're the fox.
                  C♯m
          The gentle voice that talks to you
          G♯m7   G♯
          Won't talk for - ever.
          C♯m
          It's a night for passion,
                  F♯m7
          But the morning means goodbye.
                  C♯m   G♯m7   F♯m7
          Be - ware of what is flashing in her eyes,
                  N.C.
          She's going to get you.

Chorus 2   As Chorus 1

Link 2   ‖: C♯m │ G♯m7 │ C♯m │ G♯m7 │

            │ C♯m │ G♯m7 │ C♯m │ G♯m7 :‖
                                            Oh—

Chorus 3   As Chorus 1

Link 3   ‖: C♯m │ C♯m │ G♯m7 │ F♯m7 :‖

Outro   C♯m   G♯m7 F♯m7
            All that she wants.
            C♯m   G♯m7 F♯m7
            All that she wants.

            ‖: C♯m (bass) │ G♯m7 │ C♯m │ G♯m7 :‖ *Repeat to fade*

5

Alone

Words & Music by
Billy Steinberg & Tom Kelly

Intro | Am F | G G/F | Am F | G E ‖

Verse 1

Am   F   G
  I hear the ticking of the clock,

     G/F   Am   F G E
I'm lying here the room's pitch dark

Am   F   G
  I wonder where you are to - night,

     G/F   Am   F G E
No answer on your telephone

         F   C/E   Dm7 C
And the night goes by so very slow

         F   C/E   Dm7 Gsus4 G
Oh I hope that it won't end though

Alone

Chorus 1

Dm   B♭   F   C
  'Til now, I always got by on my own

Dm B♭   F   C
  I never really cared until I met you

Dm B♭   F   C
  And now it chills me to the bone

F/A   B♭   C
How do I get you a - lone

F/A   B♭   C   Cmaj7
How do I get you a - lone

© Copyright 1987 Sony/ATV Tunes LLC, USA.
Sony/ATV Music Publishing (UK) Limited.
All Rights Reserved. International Copyright Secured.

Verse 2

Am   F   G
  You don't know how long I have wanted

  G/F   Am   F G E
To touch your lips and hold you tight.

Am   F   G
  You don't know how long I have waited

  G/F   Am   F G E
And I was gonna tell you to - night.

    F   C/E   Dm7 C
But the secret is still my own,

    F   C/E   Dm7 Gsus4 G
And my love for you is still unknown

  C
A - lone

Link

| Dm B♭ | F C | Dm B♭ | F C ‖

         Oh - ohhhh...

Chorus 2

Dm B♭ F   C
  'Til now, I always got by on my own

Dm B♭   F   C
  I never really cared until I met you

Dm B♭   F   C
   And now it chills me to the bone

F/A   B♭   C
How do I get you a - lone

F/A   B♭   C
How do I get you a - lone

Gtr solo

| Dm B♭ | F C | Dm B♭ | F C |

| B♭ B♭/A | B♭/G B♭/F | C/E Dm7 | C C/B♭ ‖

Outro

F/A   B♭   C
How do I get you a - lone

F/A   B♭   C
How do I get you a - lone

  F/A B♭ C
A - lone

  F/A B♭ C
A - lone

| Am F | G G/F | Am   ‖

Angel

Words & Music by
Sarah McLachlan

Capo 2nd fret

Intro　　| B　　| E/G# | B　　| E/G# ‖

Verse 1

               C#m7
Spend all your time waiting,

      E
For that second chance,

              B   E/G#   F#
For a break that would make it o - k.

              C#m7
There's always some reason,

      E
To feel not good enough,

        B   E/G#   F#
And it's hard at the end of the day.

           C#m
I need some dis - traction

       E
Oh, beautiful release,

 B   E/G#   F#
Memories seep from my veins.

         C#m
That may be empty,

       E
Oh, and weightless and maybe,

     B   E/G#   F#
We'll find some peace to - night.

© Copyright 1997 Sony/ATV Songs LLC/Tyde Music, USA.
Sony/ATV Music Publishing (UK) Limited.
All Rights Reserved. International Copyright Secured.

Chorus 1

                   B   G#m   B
In the arms of the angel,

                E♭m7
Fly a - way from here,

               E
From this dark cold, hotel room,

               B   G#m   F#
And the endless - ness that you fear.

               B
You are pulled from the wreckage,

               E♭m7
Of your silent reverie,

                   E   Esus4 E
You're in the arms of the angel,

               B   F#   B | E/G# | B | E/G#
May you find   some comfort here.

Verse 2

                   C#m7
So tired of the straight line,

               E
And everywhere you turn,

               B   E/G#   F#
There's vultures and thieves at your back.

                   C#m7
Storm keeps on twisting,

               E
Keep on building the lies,

               B   E/G#   F#
That you make up for all that you lack.

                   C#m7
It don't make no difference,

               E
Es - caping one last time,

               B   E/G#   F#
It's easier   to be - lieve.

                   C#m7
In this sweet madness,

               E
Oh this glorious sadness,

               B   E/G# F#
That brings me to my knees.

Chorus 2

      B
In the arms of the angel,

      E♭m⁷
Fly a - way from here,

      E
From this dark, cold, hotel room,

      B   **G♯m**   **F♯**
And the endless - ness that you fear.

      B
You are pulled from the wreckage,

      E♭m⁷
Of your silent reverie,

      E   **Esus⁴ E**
You're in the arms of the angel,

      B **G♯m** **F♯**   **B**
May you find   some comfort here.

      E   **Esus⁴ E**
You're in the arms of the angel

      B **G♯m** **F♯**   **B** | **E/G♯** |
May you find   some comfort here.

| **B** | **E/G♯** | **B** | **E/G♯** | **B** |

Bitch

Words & Music by
Shelly Peiken & Meredith Brooks

Intro | **A E** | **D** | **A E** | **D** ‖

Verse 1
    A   **E D**
I hate the world today,

You're so good to me
  A   **E D**
I know, but I can't change.
                F♯m
Tried to tell you but you look at me like,
        B
Maybe I'm an angel underneath,
D
   Innocent and sweet.

Verse 2
  A   **E D**
Yesterday I cried,

You must have been relieved
   A   **E D**
To see the softer side.

I can understand how,
F♯m   **B**
You'd be so confused, I don't envy you
       D
I'm a little bit of everything all rolled into one.

© Copyright 1996 Sushi Too Music/Kissing Booth.
EMI Music Publishing Limited (50%)/Hit & Run Music (Publishing) Limited (50%).
All Rights Reserved. International Copyright Secured.

Chorus 1

      A
I'm a bitch, I'm a lover

      E
I'm a child, I'm a mother

      Bm
I'm a sinner, I'm a saint,

      D
I do not feel ashamed.

        A
I'm your hell, I'm your dream

      E
I'm nothing in between

          F♯m   **D**
You know you wouldn't want it any other way.

Verse 3

      A   **E D**
So take me as I am,

                     A   **E D**
This may mean you'll have to be a stronger man.

Rest assured that when I,

F♯m   **B**
Start to make you nervous and I'm going to extremes

  D
To - morrow I will change, and today won't mean a thing.

Chorus 2   As Chorus 1

Interlude | **A** | **E** | **F♯m** | **D** |

                | **A** | **E** | **Bm** | **D**   ‖

Middle

E
Just when you think you've got me figured out
F♯m   **D**
The season's already changing.
E   **F♯m**
I think it's cool, you do what you do
              D
And don't try to save me.

Chorus 3   As Chorus 1

                A
Chorus 4   I'm a bitch, I'm a tease,
                E
I'm a goddess on my knees
                Bm
When you hurt, when you suffer
              D
I'm your angel undercover.
                A
I've been numb, I'm revived
              E
Can't say I'm not alive
                F♯m   **D**
You know I wouldn't want it any other way.

Outro   ‖: A | E | F♯m | D |

             | A | E | F♯m | D   :‖   *Repeat to fade*

13

...Baby One More Time

Words & Music by
Max Martin

Intro

B♭5 C5
　　　Oh, baby baby,
B♭5 C5　　　　　　　B♭5 C5
　　　Oh, baby baby.

Verse 1

Cm　　　　　　　　　　G7/B　　　G7　B♭/D　E♭
　　Oh, baby baby, how was I supposed to　know
　　　　Fm　　　　　　　G7　Cm
That somethin' wasn't right here?
　　　　　　　　　G7/B　　　　　G7　B♭/D　E♭
Oh, baby baby, I shouldn't have let　you go,
　　　　Fm　　　　　　　G7　Cm
And now you're out of sight, yeah.
　　　　　　　　　　　G7/B　　G7
Show me how you want it to be,
B♭/D　　E♭　　　　　　　Fm　　　　G7　Cm
Tell me baby, 'cause I need to know now, oh, because...

Chorus 1

Cm　　　　　　　　G7/B
　　My loneliness is killin' me
G7　B♭/D　E♭
And I, _____ I must confess
Fm　　　　　Gsus4　G　Cm
I still believe,　still　believe
　　　　　　　　　　　　　　　G7/B
When I'm not with you I lose my mind.
A♭　　　B♭　E♭　Fm　　　　G7　　　Cm
Give me a　sign, hit me baby one more time.

© Copyright 1998 Zomba Music Publishers Limited.
All Rights Reserved. International Copyright Secured.

Verse 2

Cm   **G7/B**   **G7**   **B♭/D** **E♭**
  Oh, baby baby, the reason I breathe is you,

Fm   **G7** **Cm**
Boy, you got me blinded.

            G7/B   **G7** **B♭/D**   **E♭**
Oh pretty baby, there's nothing that I —— wouldn't do,

    Fm   **G7**   **Cm**
It's not the way I planned it.

              G7/B   **G7**
Show me how you want it to be,

B♭/D   **E♭**   **Fm**   **G7**   **Cm**
Tell me baby, 'cause I need to know now, oh, because…

Chorus 2

Cm   **G7/B**
  My loneliness is killin' me

G7   **B♭/D** **E♭**
And I, ——— I must confess

  Fm   **Gsus4**   **G** **Cm**
I still believe, still   believe

                   G7/B
When I'm not with you I lose my mind.

A♭   **B♭** **E♭** **Cm**   **G7**   **Cm**
Give me a sign, hit me baby one more time.

Middle

C5
  Oh baby baby.

B♭5   **C5**
Oh, oh, oh baby baby.

           B♭5   **C5**
Ah yeah, yeah.

Cm   **G7/B**   **G7** **B♭/D** **E♭/B♭** | **Fm** **Gsus4** **G** |
  Oh baby baby, how was I supposed to know?

A♭   **B♭**   **Fm7** **A♭**
  Oh pretty baby, I shouldn't have let you go. ———

B♭   **Cm**   **G7/B**
I must confess that my loneliness

  G7   **B♭/D** **E♭**
Is killin' me now,

         Fm   **Gsus4** **G**   **A♭**
Don't you know I still   believe

              B♭   **A♭maj7** **E♭/G**
That you will be here and give me a sign.

Fm   **B♭**   **G7/B**
Hit me baby, one more time.

Chorus 3 |: As Chorus 1 :|

Beautiful

Words & Music by
Linda Perry

Capo first fret

Intro ‖: D | D/C | Bm⁷ | B♭ :‖

Verse 1

D   D/C
  Every day is so wonderful,
        Bm⁷   B♭
And suddenly, it's hard to breathe.
D   D/C
  Now and then, I get insecure,
        Bm⁷   B♭
From all the pain, I'm so ashamed.

Chorus 1

G   G/F♯ Em
  I am beautiful no   matter what they say,
D   D/C   Bm⁷
Words can't bring me down.
G   G/F♯ Em
  I am beautiful in   every single way,
         D   D/C   Bm⁷
Yes, words can't bring me down, oh no,
Em
  So don't you bring me down
  D | D/C | Bm⁷ | B♭
Today.

Verse 2

D   D/C
  To all your friends, you're delirious,
     Bm⁷   B♭
So consumed in all your doom.
D   D/C
  Trying hard to fill the emptiness,
     Bm⁷   B♭
The pieces gone, left the puzzle undone,

Is that the way it is?

© Copyright 2003 Famous Music Publishing Limited.
All Rights Reserved. International Copyright Secured.

Chorus 2

G   G/F♯ Em
    You are beautiful no   matter what they say,

D   D/C   Bm7
Words can't bring you down, oh no.

G   G/F♯ Em
    You are beautiful in   every single way,

     D   D/C   Bm7
Yes, words can't bring you down, oh no,

Em   D
    So don't you bring me down today.

Middle

                        D/C
No matter what we do,

                        Bm7
No matter what we say,

                        B♭
We're the song inside the tune,

Full of beautiful mistakes.

D   D/C
    And everywhere we go,

                        Bm7
The sun will always shine,

                        B♭
But tomorrow we might awake,

On the other side.

Chorus 3

G   G/F♯ Em
    'Cause we are beautiful no   matter what they say,

     D   D/C   Bm7
Yes, words won't bring us down, oh no.

G   G/F♯ Em
    We are beautiful in   every single way,

     D   D/C   Bm7
Yes, words can't bring us down, oh no,

Em
    So, don't you bring me down

    D | D/C | Bm7 |
Today.

B♭
    Don't you bring me down

D | D/C | Bm7 |
    Today,

B♭   D
    Don't you bring me down today.

Big Yellow Taxi

Words & Music by
Joni Mitchell

Intro

| A A⁶ | A A⁶ | B B⁶ | B B⁶ |
| E | E | E | E ‖

Verse 1

A   E
They paved paradise and put up a parking lot

A
With a pink hotel,

B   E
A boutique and a swinging hot-spot.

Chorus 1

E^5 Emaj⁷
Don't it always seem to go

           Aadd⁹   F♯m⁷add¹¹ E
That you don't know what you've got   till it's gone.

       A   A⁶ B   B⁶   E
They paved paradise, put up a parking lot.

Choo ba ba ba ba, choo ba ba ba ba.

Verse 2

        A   E
They took all the trees and put them in a tree museum

          A
And they charged the people

B   E
A dollar and a half just to see 'em.

Chorus 2   As Chorus 1

© Copyright 1970 Siquomb Publishing Corporation, USA.
Sony/ATV Music Publishing (UK) Limited.
All Rights Reserved. International Copyright Secured.

Verse 3

      A   E
Hey farmer, farmer, put away that DDT now,

      A
Give me spots on apples

      B   E
But leave me the birds and the bees, please!

Chorus 3   As Chorus 1

Verse 4

      A   E
Late last night I heard the screen door slam

          A
And a big yellow taxi

      B   E
Took away my old man.

Chorus 4   As Chorus 1

Chorus 5

      E^5 Emaj^7
I said, don't it always seem to go

      Aadd^9 F$^\sharp$m^{7}add^{11} E
That you don't know what you've got   till it's gone.

      A   A^6 B   B^6 E
They paved paradise, put up a parking lot.

Choo ba ba ba ba,

      A   A^6 B   B^6 E
They paved paradise, put up a parking lot.

Choo ba ba ba ba.

      A   A^6 B   B^6 E | E   ‖
They paved paradise, put up a parking lot.

Black Horse And The Cherry Tree

Words & Music by
KT Tunstall

Percussion
8

Intro | |———————————| ||

N.C.
|: Whoo-hoo, whoo-hoo. whoo-hoo, whoo-hoo.:| *Play 3 times*

Em
|: Whoo-hoo, whoo-hoo. :|

Em   **B7 Em**
|: Whoo-hoo, whoo-hoo. :|

N.C.
Verse 1 Well my heart knows me better than I know myself

So I'm gonna let it do all the talking.
     Em   **B7 Em**
Whoo-hoo, whoo-hoo.

N.C.
I came across a place in the middle of nowhere

With a big black horse and a cherry tree.
     Em   **B7 Em**
Whoo-hoo, whoo-hoo.

N.C.
I felt a little fear, upon my back

I said don't look back, just keep on walking.
     Em   **B7 Em**
Whoo-hoo, whoo-hoo

N.C.
And the big, black horse said "Hey, let's dance

Look at is this way, will you marry me?"
     Em   **B7 Em**
Whoo-hoo, whoo-hoo.

© Copyright 2004 Sony Music Publishing (UK) Limited.
All Rights Reserved. International Copyright Secured.

          Em D
But I said no, no,

D6/A Cmaj7
No,— no, no, no

        Em D
I said no, no

C9   **Em**
You're not the one for me.

       D
No, no

D6/A Cmaj7
No,— no, no, no

        Em D
I said no, no

C9
You're not the one for me.

          Em   **B7 Em**
Whoo-hoo, whoo-hoo.

          Em   **B7 Em**
Whoo-hoo, whoo-hoo.

Verse 2

N.C.
My heart hit a problem, in the early hours

So it stopped it dead for a beat or two

          Em   **B7 Em**
Whoo-hoo, whoo-hoo.

N.C.
But I cut some cord, and I shouldn't have done it

And it won't forgive me after all these years.

          Em   **B7 Em**
Whoo-hoo, whoo-hoo.

N.C.
So I sent her to a place in the middle of nowhere

With a big black horse and a cherry tree

          Em   **B7 Em**
Whoo-hoo, whoo-hoo.

N.C.
Now it won't come back, 'cause it's oh so happy

And now I've got a hole for the world to see.

          Em   **B7 Em**
Whoo-hoo, whoo-hoo.

Chorus 2

Em D
But it said no,   no,

D6/A   Cmaj7
No,— no, no, no

Em D
It said no,   no

C9   **Em**
You're not the one for me.

D
No, no,

D6/A   Cmaj7
No,— no, no, no

Em D
It said no,   no

C9
You're not the one for me.

Em   **B7 Em**
Whoo-hoo, whoo-hoo.

Bridge

N.C.
‖: No, no, no, no

No, no, no, no

No, no, no, no

You're not the one for me. :‖

Interlude   ‖: **N.C.**
Doo-doo, doo, doo, doo-be, doo

Doo-doo, be-doo :‖ *Play 4 times*

Well, there was a

‖: Big black horse and a cherry tree.

I can't quite get there coz my heart's forsaken me. Yeah. :‖

Big black horse and a cherry tree.
E7sus4   Em
Big black horse and a cherry tree.

Em   D
No,   no

Cmaj7   Em
No, no, no, no

      D
No, no, no, no

   Cmaj7   Em
My heart's forsaken me.

Em   D   Cmaj7   Em
Big black horse and a cherry tree.

       D   **C9**   **Em**
I can't quite get there 'cause my heart's forsaken me. Yeah.

Em   D   Cmaj7   Em
Big black horse and a cherry tree.

       D   **C9**   **N.C**
I can't quite get there 'cause my heart's forsaken me.

Black Velvet

Words & Music by
Christopher Ward & David Tyson

Tune guitar down a semitone

Intro ‖: E5 | E5 | E5 | E5 :‖

Verse 1

E5
Mississippi in the middle of a dry spell.

Jimmy Rogers on the victrola up high.

Mama's dancin' with a baby on her shoulder.

The sun is settin' like molasses in the sky.

Bsus4   B   Asus4   A
The boy could sing, knew how to move,   everything.

Gsus4   G   Dsus2
Always wanting more,   he'd leave you longing for.

Chorus 1

Am7   Dsus4   D
Black velvet and that little boy's smile.

Am7   F   C
Black velvet with that slow southern style.

Am7   Dsus4   D
A new religion that'll bring ya to your knees.

C7   B7   E5
Black velvet if you please.

© Copyright 1989 Zomba Enterprises Incorporated/EMI Blackwood Music Incorporated, USA.
Zomba Music Publishers Limited (85%)/EMI Songs Limited (15%).
All Rights Reserved. International Copyright Secured.

Verse 2

E5

Up in Memphis the music's like a heatwave.

White lightning, bound to drive you wild.

Mama's baby's in the heart of every school girl.

"Love me tender" leaves 'em cryin' in the aisle.

Bsus4   B   Asus4 A
The way he moved, it was a sin, so sweet and true.

Gsus4   G   Dsus2
Always wanting more,   he'd leave you longing for.

Chorus 2   As Chorus 1

Middle

Am   B7   E5
Every word of every song that he sang was for you.

Am   F   C   B7
In a flash he was gone, it happened so soon,

                     Em11
What could you do?

Solo   ‖: (Em11) | Em11 E9sus4 | Em11 | Em11 E9sus4 :‖

Chorus 3   As Chorus 1

Chorus 4

Am7   Dsus4   D
Black velvet and that little boy's smile.

Am7   F   C
Black velvet with that slow southern style.

Am7   Dsus4   D
A new religion that'll bring ya to your knees.

C7   B7   E9sus4 Em11 | Em11 E9sus4 |
Black velvet if you please.

‖: Em11   E9sus4 | E9sus4 Em11   :‖   *Repeat to fade*
                                    If you please.

Born To Try

Words & Music by
Delta Goodrem & Audius Mtawarira

Capo first fret

Intro | G |

Verse 1

G   **D/F♯**   **Em**
Doing everything that I believe in,

G   **D/F♯**   **Em**
Going by the rules that I've been taught.

G   **D/F♯**   **Em**
More understanding of what's around me,

G   **D/F♯**   **Em**
And protected from the walls of love.

Am   **Am7/G**   **D/F♯**
All that   you see is me,

Am   **Am7/G**   **D/F♯**
And all I truly   believe.

Chorus 1

                          G
That I was born to try,

D/F♯   **Em**
I've learned to love.

              G
Be understanding,

D/F♯   **Em**
And believe in life.

                          Am
But you've got to make choices,

Am7/G   **D/F♯**
Be wrong or right,

                    Am   **Am7/G**   **D/F♯**
Sometimes you've got to sacrifice the things you like.

                    G
But I was born to try.

© Copyright 2003 Sony Music Publishing Australia PTY.
Sony/ATV Music Publishing (UK) Limited.
All Rights Reserved. International Copyright Secured.

Verse 2

G   D/F♯   Em
No point in talking what should   have been,

G   D/F♯   Em
In regretting the things that went on.

G   D/F♯   Em
Life's full of mistakes, destinies and fate,

G   D/F♯   Em
Remove the clouds look at the bigger picture now.

Am   Am7/G   D/F♯
And all that   you see is me,

Am   Am7/G   D/F♯
And all I truly believe.

Chorus 2

                    G
That I was born to try,

D/F♯   Em
I've learned to love.

         G
Be understanding,

D/F♯   Em
And believe in life.

                  Am
But you've got to make choices,

Am7/G   D/F♯
Be wrong or right,

              Am   Am7/G   D/F♯
Sometimes you've got to sacrifice the things you like.

                G
But I was born to try.

Middle

‖: Am   Am7/G   D/F♯
   All that   you see is me,

Am   Am7/G   D/F♯
And all I truly believe. :‖

Chorus 3

                    G
That I was born to try,

D/F♯   Em
I've learned to love.

         G
Be understanding,

D/F♯   Em
And believe in life.

                  Am
But you've got to make choices,

Am7/G   D/F#
    Be wrong or right,

              Am   Am7/G   D/F#
Sometimes you've got to sacrifice the things you like.

           (G)
But I was born to try.

‖: G   D/F# | Em   :‖

            Am
But you've got to make choices,

Am7/G   D/F#
    Be wrong or right.

              Am   Am7/G   D/F#
Sometimes you've got to sacrifice the things you like.

N.C.   (G)
But I was born to try.

Crazy

Words & Music by
Willie Nelson

Verse 1

F   D7   Gm
Crazy, crazy for feelin' so lonely,

      C7   F   F#dim Gm7 C7
I'm crazy, crazy for feelin' so blue. _____

F   D7   Gm
I knew you'd love me as long as you wanted,

Gm7   C7
And then someday,

                          F   Bb F7
You'd leave me for somebody new. _____

Verse 2

Bb   F
Worry, why do I let myself worry?

G7   C7 Gm7 C7
Wond'rin' - what in the world did I do? _____

F   D7   Gm
Crazy, for thinkin' that my love could hold you,

    Bbmaj7 Am7
I'm crazy for tryin',

Gm7   Fmaj7
Crazy for cryin'

N.C.   Gm7   C9sus4 C7 F   Bb6 F
And I'm crazy for lo - - - vin' you! _____

© Copyright 1961 Pamper Music, USA.
Acuff-Rose Music Limited.
All Rights Reserved. International Copyright Secured.

Can't Get You Out
Of My Head

Words & Music by
Cathy Dennis & Rob Davis

Intro ‖: Dm⁷ | Am⁷ | Dm⁷ | Am⁷ :‖

Link 1

Dm⁷
La la la, la la la la la,

Am⁷
La la la, la la la la la.

Dm⁷
La la la, la la la la la,

Am⁷
La la la, la la la la la.

Chorus 1

     Dm⁷
I just can't get you out of my head,

       Am⁷
Boy your loving is all I think about.

     Dm⁷
I just can't get you out of my head,

      Am⁷
Boy it's more than I dare to think about.

Link 2

Dm⁷
La la la, la la la la la,

Am⁷
La la la, la la la la la.

Chorus 2

     Dm⁷
I just can't get you out of my head,

      Am⁷
Boy, your loving is all I think about.

© Copyright 2001 EMI Music Publishing Limited (50%)/Universal/MCA Music Limited (50%).
All Rights Reserved. International Copyright Secured.

cont.

Dm7
I just can't get you out of my head,

Am7
Boy, it's more than I dare to think about.

Verse 1

B♭maj7 A
Every night,

G♯dim A
Every day,

Gm7   A7sus4
Just to be there in your arms,

Dm7   Am7
Won't you stay?——————

Dm7   Am7
Won't you   lay,——————

B♭maj7   A7
Stay for - ever and ever and ever and ever.

Link 3   As Link 1

Chorus 3   As Chorus 2

Verse 2

B♭maj7   A   G♯dim   A
There's a dark secret in   me,

Gm7   A7sus4
Don't leave me locked in your heart.

Dm7   Am7
Set me free,———

Dm7   Am7
Feel the   need——— in me,

Dm7   Fmaj7 Am9
Set me free,———

B♭maj7   N.C.   A7
Stay for - ever and ever and ever and ever.

Link 4   As Link 1

Outro

Dm7
‖: I just can't get you out of my head,

Am7
(La la la, la la la la la.) :‖ *Repeat to fade*

31

The Closest Thing To Crazy

Words & Music by
Mike Batt

Intro ‖ E B ‖ E/G♯ ‖ A ‖ E/B B ‖

Verse 1

E   B/F♯   E/G♯
How can I think I'm standing strong

      A   E
Yet feel the air beneath my feet?

C♯m   C♯m/B A
How can happiness feel so wrong?

G♯m   B9   E   B
How can misery feel so sweet?___

Verse 2

E   B/F♯   E/G♯
How can you let me watch you sleep

     A   E
Then break my dreams the way you do?

C♯m   C♯m/B A
How can I have got in so   deep,

G♯m   B9   E   B
Why did I fall in love with you?

Chorus 1

        E   C♯m
This is the closest thing to crazy I have ever been,

     F♯m   B
Feeling twenty-two, acting seventeen.

        E   C♯m
This is the nearest thing to crazy I have ever known,

     F♯m   Am
I was never crazy on my own,

   E   C♯m   A   C
And now I know,   that there's a link between the two,

E   C♯m   B
Being close to craziness and being close

 E B/F♯‖ E/G♯ ‖Asus4 Am‖ E ‖
To you.

© Copyright 1992 Dramatico Music Publishing Limited.
Sony/ATV Music Publishing (UK) Limited.
All Rights Reserved. International Copyright Secured.

Verse 3

```
E                B/F♯            E/G♯
How can you make me fall a - part
        A                    E
Then break my fall with loving lies?
C♯m          C♯m/B  A
It's so easy to break a heart,
G♯m              B9      E   B
It's so easy to close your eyes.
```

Verse 4

```
E                B/F♯            E/G♯
How can you treat me like a child?
      A                    E
Yet like a child I yearn for you.
C♯m                C♯m/B  A
How can anyone feel so wild?
G♯m              B9    E   B
How can anyone feel so blue?
```

Chorus 2

```
              E                        C♯m
This is the closest thing to crazy I have ever been,
        F♯m              B
Feeling twenty-two, acting seventeen.
              E                      C♯m
This is the nearest thing to crazy I have ever known,
        F♯m        Am
I was never crazy on my own,
        E        C♯m          A           C
And now I know,    that there's a link between the two,
E              C♯m         B          │ E  C♯m │
Being close to craziness and being close to you,
```

Outro

```
A      B            E  C♯m
  And being close to you,
A      A/B        E
  And being close to you.
```

Constant Craving

Words & Music by
k.d. lang & Ben Mink

Capo first fret

| *Intro* | ‖: Em | Bm⁷ | C/D | C | |
| | Em | Bm⁷ | C/D | C/D | :‖ |

Verse 1

Em Bm⁷   C/D   C
Ev - en through the   darkest phase,

Em   Bm⁷   C/D
Be   it thick or   thin,

Em Bm⁷   C/D   C
Al - ways someone   marches brave

Em   Bm⁷   C/D
Here beneath my   skin.

Chorus 1

        C   D/C Gmaj⁷ Em   F   Em
And con - stant cra - ving has always been.

Verse 2

Em Bm⁷   C/D   C
May-be a great   magnet pulls

Em Bm⁷   C/D
All   souls towards truth,

Em   Bm⁷ C/D   C
  Or maybe it is   life itself

        Em Bm⁷   C/D
Feeds wis - dom to its youth.

Chorus 2

        C   D/C Gmaj⁷ Em   F   Em
And con - stant cra - ving has always been.

© Copyright 1992 Bumstead Productions/Jane Hathaway's Publishing Company, USA.
Universal Music Publishing Limited (50%)/Rondor Music (London) Limited (50%).
All Rights Reserved. International Copyright Secured.

Bridge

Gadd9   Cadd9
Cra - ving,

G   Gadd9   D/C   C
Ah-hah constant   cra - ving

D   Cadd9   D   Cadd9
Has always   been, has al - ways been.

Guitar solo

‖: Em | Bm7 | C/D | C |

| Em | Bm7 | C/D | C/D   :‖

Chorus 3

C   D/C Gmaj7 Em   F   Em
Con - stant cra - ving has always   been.

C   D/C Gmaj7 Em   F   G
Con - stant cra - ving has always been.

Coda

Gadd9   Cadd9
Cra - ving,

G   Gadd9   D/C   C
Ah-hah constant   cra - ving

        D   Cadd9   D   Cadd9
‖: Has always ___ been, has always ___ been. :‖

Repeat to fade

Crash

Words & Music by
Paul Court, Stephen Dullaghan & Tracy Spencer

Capo second fret

Intro ‖: A | A | E | D :‖

Verse 1

N.C   A   D
Here you go, way too fast,

E   D
Don't slow down you're gonna crash,

         A   D
You should watch, watch your step,

E   D
If you don't look out, you're gonna break your neck.

      A   D
So shut, shut your mouth

       E   D
'Cos I'm not listening anyhow.

               A   D
I've had e - nough, enough of you

      E   D
E - nough to last a lifetime through.

      E
So what do you want of me?

A   D
Got no words of sympathy,

      E   D
And if I go around with you,

      A   D   E | E
You know that I've been messed up too, with you.

Interlude

A   D   E   D
Na, na, na, na, na, na, na, na, na, na, na,

A   D   E   D
Na, na, na, na, na, na, na, na, na, na.

© Copyright 1988 Complete Music Limited.
All Rights Reserved. International Copyright Secured.

Verse 2

N.C   **A**   **D**
Here you go, way too fast,

E   **D**
Don't slow down you're gonna crash,

              A   **D**
You don't know what's been going down,

E   **D**
You've been running all over town.

      A **N.C**   **D**
So shut, shut your mouth   **A**

       E   **D**
'Cos I'm not listening anyhow.

      A   **D**
I've had enough, enough of you

   E   **D**
E - nough to last a lifetime through.

     E
So what do you want of me?

A   **D**
Got no cure for misery,

    E   **D**
And if I go around with you,

      A   **D**   **E** | **E** |
You know that I've been messed up too, with you.

Interlude

     E
‖: With you, with you.

A   **D**   **E**
Na, na, na, na, na, na, na, na, na, na, na,

               D
(Slow down you're gonna crash)

A   **D**   **E**
Na, na, na, na, na, na, na, na, na, na, na.

               D
(Slow down you're gonna crash) :‖

Repeat to fade

Crucify

Words & Music by
Tori Amos

Verse 1

G#5   A#5   F#5   G#5
Every finger in the room is pointing at me
                     A#5   F#5
I wanna spit in their faces then I

Get afraid of what that could bring
     G#5   A#5   F#5   G#5
I got a bowling ball in my stomach, I got a desert in my mouth
           A#5   F#5
Figures that my courage would choose to   sell out now

Pre-chorus 1

           B   F#   G#m   E
I've been looking for a sa - viour in these dirty streets
F#   G#m   E   F#
Looking for a saviour be - neath these dirty sheets
           B   F#   G#m
I've been raising up my hands- drive another nail in
         D#/F#   E
Just what God needs, one more victim

Chorus 1

          G#m B/C# C#m7 B/C#   F#
Why do we   cru - ci - fy our - selves
    C#m D#m G#m B/C# C#m7 B/C#   F#
Oh, every - day   I cru - ci - fy my - self
C#m   D#m   G#m
Nothing I do is good e - nough for you
B/C# C#m7 B/C#   F#
Cru - ci - fy my - self
    C#m D#m G#m B/C# C#m7 B/C#   F#
Oh, every - day   I cru - ci - fy my - self
        C#m
And my heart is sick of being
    E   G#m   B
I said my heart is sick of being in chains,___

© Copyright 1992 Sword And Stone Publishing Company, USA.
All Rights Reserved. International Copyright Secured.

cont

```
E   G#m/D#  C#m  G#m    B
        Oh - oh, chains,____

E   G#m/D#  C#m
        Oh - oh...
```

Verse 2

```
G#m                A#5    F#5        G#5
    Got a kick for a dog,   beggin' for love
              A#5            F#5
Gotta have my suffering so that    I can have my cross
        G#5         A#5          F#5              G#5
I know a   cat named Easter, he says    will you ever learn
                     A#5          F#5
You're just an empty cage girl if you    kill the bird
```

Pre-chorus 2

```
            B            F#            G#m      E
I've been looking for a savior in these dirty streets
F#           G#m        E                F#
Looking for a savior be - neath these dirty sheets
          B          F#              G#m
I've been raising up my hands- drive another nail in
        D#/F#                  E
Got enough guilt to start my own re - ligion
```

Chorus 2   As Chorus 1

Bridge

```
    G#      B  F#
Please be
G#        B  F#
Save me
G# B   F#  G# B  F#
I   cry
```

Pre-chorus 3

```
B            F#            G#m    E
Looking for a saviour in these dirty streets
F#           G#m        E                F#
Looking for a saviour be - neath these dirty sheets
          B          F#              G#m
I've been raising up my hands - drive another nail in
        D#/F#              E
Where are those angels when you need them
```

                         G#m B/C# C#m7 B/C#   F#
Chorus 3   Why do we   cru - ci - fy our - selves
                  C#m D#m G#m B/C# C#m7 B/C#   F#
              Oh, eve - ryday,   I cru - ci - fy my - self
              C#m   D#m   G#m
              Nothing I do is good e - nough for you
              B/C# C#m7 B/C#   F#
              Cru - ci - fy my - self
                  C#m D#m G#m B/C# C#m7 B/C#   F#
              Oh, eve - ryday,   I cru - ci - fy my - self
                         C#m
              And my heart is sick of being
                        E   G#m   B
              I said my heart is sick of being in chains,____
              E G#m/D# C#m G#m   B
                  Oh - oh, chains,____
              E G#m/D#   C#m
                    Why do we...

                         G#m   B   E   G#m/D#
Outro   ...Chains... cru - ci - fy our - selvesÉ
              (Why do we   crucify our - selves?)
              C#m   G#m   B   E   G#m/D#
              Eve - ry - day...   ... uh-uh-oh-oh - oh...
              (Why do we   crucify our - selves?)
              C#m   G#m   B   E   G#m/D#
              ...Oh chains...   oh...
              (Why do we   crucify our - selves?)
              C#m   G#m   B   E   G#m/D#
              Yeah, yeah, chains,   ah-ah-oh-oh - oh...
              (Why do   we   cru - cify our - selves?)
              C#m   G#m   B   E   G#m/D#
              ...Never going back again, oh, to cru-ci - fy my - self
              (Why do   we   crucify our - selves?)
              C#m   G#m   B   E
              again, you know, never going back a - gain, to cru-ci - fy
              (Why   do   we   cru - ci-fy our-selves?)

                  G#m/D#
              My - self,

              C#m   G#m
              ...Every - day

Dead From The Waist Down

Words & Music by
Cerys Matthews, Mark Roberts, Aled Richards,
Paul Jones & Owen Powell

Intro | Amaj⁷ | Amaj⁷ | Amaj⁷ | Amaj⁷ ‖

Verse 1
              A
The sun is shining

            C♯m
We should be making hay

                Bm
But we're dead from the waist down

D   **A**
Like in Californ-i-a.

Victory is empty,

            C♯m
There are lessons in defeat

             Bm
But we're dead from the waist down,

D   **Amaj⁷**
We are sleeping on our feet.

Pre-chorus 1 **A⁷**   **Dm**
We stole the songs from birds in trees

             F♯m
Bought us time on easy street,

            Bm
Now our paths they never meet.

                  Dm   **F♯m**
We chose to court and flatter greed, ego disposability,

            Bm   **E**
I caught a glimpse, and it's not me.

© Copyright 1998 Sony/ATV Music Publishing (UK) Limited.
All Rights Reserved. International Copyright Secured.

Chorus

Bm
Make hay not war,

D   **Amaj⁷**
Make hay not war,

F♯m   **Bm**
Make hay not war,

            D
Or else we're done for

           Amaj⁷
And we're D from the W down.

Verse 2

A
There's no contracts binding,

     C♯m
No bad scene beyond repair,

           Bm
But when you're dead from the waist down

D   **Amaj⁷**
You're too far gone to even care.

A⁷   **Dm**
Pre-chorus 2 We stole the songs from birds in trees

     F♯m
Bought us time on easy street

     Bm
Now our paths they never meet

       Dm   **F♯m**
We chose to court and flatter greed, ego disposability

     Bm   **E**
I caught a glimpse, and it's not me.

Chorus 2
                   Bm
Make hay not war,

D   **Amaj7**
Make hay not war,

F♯m   **Bm**
Make hay not war,

               D
Or else we're done for

              Amaj7   **A7**
And we're D from the W down.

Chorus 3
                   Bm
Make hay not war,

D   **Amaj7**
Make hay not war,

F♯m   **Bm**
Make hay not war,

               D
Or else we're done for

              Amaj7
And we're D from the W down.

Coda   And we're D from the W down. (four times)

The sun is shining.

The sun is shining.

Don't Know Why

Words & Music by
Jesse Harris

Intro	| B♭maj⁷ B♭⁷ | E♭maj⁷ D⁷ | Gm⁷ C⁷ | F9sus4 |

Verse 1

B♭maj⁷ B♭⁷   E♭maj⁷   D⁷
I waited 'til I saw the sun

Gm⁷   C⁷   F9sus4   B♭
  I don't know why I didn't come

B♭maj⁷   B♭⁷   E♭maj⁷   D⁷
  I left you by the house of fun

Gm⁷   C⁷   F9sus4   B♭
  I don't know why I didn't come

Gm⁷   C⁷   F9sus4   B♭
I   don't know why I didn't come.

Verse 2

B♭maj⁷   B♭⁷   E♭maj⁷   D⁷
  When I saw the break of day

Gm⁷   C⁷   F9sus4   B♭
  I wished that I could fly away.

B♭maj⁷   B♭⁷   E♭maj⁷   D⁷
  Instead of kneeling in the sand

Gm⁷   C⁷   F9sus4   B♭
Catching teardrops in my hand.

Chorus 1

Gm⁷   C⁷   F⁷
My heart is drenched in wine,

Gm⁷*   C⁷   F⁷   F⁶
But you'll be on my mind forever.

© Copyright 2002 Beanly Songs/Sony/ATV Songs LLC, USA.
Sony/ATV Music Publishing (UK) Limited.
All Rights Reserved. International Copyright Secured.

Verse 3

B♭maj7 B♭7   E♭maj7   D7
   Out across the endless sea

Gm7   C7   F9sus4   B♭
   I would die in ecstasy

B♭maj7   B♭7 E♭maj7   D7
   But I'll be a bag of bones

Gm7   C7   F9sus4   B♭
Driving down the road alone.

Chorus 2

Gm7   C7   F7
   My heart is drenched in wine,

   Gm7   C7   F7   F6
But you'll be on my mind forever.

Instrumental   ‖: B♭maj7 B♭7 │ E♭maj7 D7 │ Gm7 C7 │ F9sus4   :‖

Verse 4

B♭maj7   B♭7   E♭maj7   D7
   Something has to make you run

Gm7   C7   F9sus4   B♭
   I don't know why I didn't come.

B♭maj7 B♭7 E♭maj7   D7
I feel as empty as a drum,

Gm7   C7   F9sus4   B♭
   I don't know why I didn't come,

Gm7   C7   F9sus4   B♭
I don't know why I didn't come,

Gm7   C7   F9sus4   B♭
I don't know why I didn't come.

Don't Leave Home

Words & Music by
Dido Armstrong & Rollo Armstrong

Capo fourth fret

Intro

Ad lib. fx

Verse 1

G/D   G5/D   D5
Like a ghost, don't need a key,

      G/D G5/D   D5
Your best   friend I've come to be,

G/D   G5/D   D5
   Please don't think of getting up for me,

       G/D G5/D   D5
You don't even   need to speak.

G/D   G5/D   D5
   When I've been here for just one day

        G/D   G5/D   D5
You'll already miss me   if I go away,

G/D   G5/D   D5
   So close the blinds and shut the door,

            G/D   G5/D   D5
You won't need other friends   anymore.

Pre-chorus 1

G A7sus4   D
Oh,___   don't leave home,

G A7sus4   Asus2
Oh,___   don't leave home.

© Copyright 2003 Warner/Chappell Music Limited (75%)/BMG Music Publishing Limited (25%).
All Rights Reserved. International Copyright Secured.

Chorus 1

          D   **A**   **Em7**
And if you're cold,   I'll keep you warm,

          D   **A**   **Em A**
And if you're low,   just hold on,

    D   **A Bm**   **Em7**
'Cos I will be your safe - ty,

D   **A**
Oh, don't leave home.

Verse 2

G/D **G5/D**   **D5**
  I arrived when you were weak,

         G/D   **G5/D**   **D5**
I'll make you weaker,   like a child.

G/D   **G5/D**   **D5**
  Now all your love you give to me,

         G/D   **G5/D**   **D5**
When your heart is   all I need.

Pre-chorus 2

G **A7sus4**   **D**
Oh,_____ don't leave home,

G **A7sus4**   **Asus2**
Oh,_____ don't leave home.

Chorus 2

          D   **A**   **Em7**
And if you're cold,   I'll keep you warm,

          D **A**   **Em A**
And if you're low,   just hold on,

    D   **A Bm**   **Em7**
'Cos I will be your safe - ty,

D   **A**
Oh, don't leave home.

Bridge

Bm   **A**   **G**
  Oh, how quiet, quiet the world can be

Bm   **A**   **G**
  When it's just you and little me,

Bm   **A**   **G**
Everything is clear, and every - thing is new,

Bm   **Gmaj7**   **D% A%**
So you won't be leaving, will you?

Chorus 3

               D   **A**   **Em7**
And if you're cold, I'll keep you warm,

            D   **A**   **Em** **A**
If you're low,   just hold on,

       D   **A Bm**   **Em7**
'Cos I will be your safe - ty,

D   **A**
Oh, don't leave home.

        D   **A Em7**
'Cos I will be your safety,

      D   **A Em** **A**
And I will be your safety,

       D   **A Bm**   **Em7**
And I will be your safe - ty,

D   **A**
Oh, don't leave home.

Outro   ‖: **D** | **A** | **G** | **G**   :‖

Don't Speak

Words & Music by
Eric Stefani & Gwen Stefani

Intro

| Cm | Cm ‖

Verse 1

Cm   Gm7   Fm7
You and me, we used to be together,

B♭   Gm7 Fm7 B♭
Ev'ry day together, always.

 Cm Gm7   Fm7   B♭
I really feel that I'm losing my best friend,

 Gm7   Cm Fm7 B♭
I can't believe this could be the end.

  Cm Gm7 Fm7   B♭
It looks as though you're letting go,

   E♭   B♭   C
And if it's real then I __ don't want to know.

Chorus 1

Fm   B♭m   E♭
Don't speak, I know just what you're sayin',

 C   B♭m6
So please stop explaining,

   C   Fm B♭m C
Don't tell me 'cause it hurts.

Fm   B♭m   E♭
Don't speak, I __ know what you're thinkin',

C   B♭m6
I don't need your reasons,

   C   Fm B♭m E♭
Don't tell me 'cause it hurts.

© Copyright 1996 Knock Yourself Out Music, USA.
Universal/MCA Music Limited.
All Rights Reserved. International Copyright Secured.

Verse 2

    Cm   **Gm7**   **Fm7**
Old memories, they can be inviting

         B♭   **Gm7** **Fm7**   **B♭**
But some are all together mighty frightening,

  Cm   **Gm7** **Fm7**   **B♭**
As we die both you and I ___

E♭   **B♭**   **C**
    With my head in my hands I'll soon be crying.

Chorus 2

Fm   **B♭m**   **E♭**
Don't speak, I know just what you're sayin',

  C   **B♭m6**
So please stop explaining,

     C   **Fm** **B♭m** **C**
Don't tell me 'cause it hurts.

Fm   **B♭m**   **E♭**
Don't speak, I ___ know what you're thinkin',

C   **B♭m6**
I don't need your reasons,

     C   **Fm**
Don't tell me 'cause it hurts.

Middle

D♭   **A♭/C**
It's all ending,

        C♭   **G♭/B♭**
We've got to stop pretending

     A   **A(♭5)** **A♭**
Who we are.

Instrumental ‖: **Cm Gm7** │ **Fm7 B♭** :‖ *Play 3 times*

               │ **Gm7 Cm A♭** │ **Fm**   ‖

Link

Cm   **Gm7**
You and me,

Fm7   **B♭**   **Fm7**   **B♭**
I can see us dying, aren't we? ___

Chorus 3

Fm   B♭m   E♭
Don't speak, I know just what you're sayin',

C   B♭m6
So please stop explaining,

        C   Fm   B♭m   C
Don't tell me 'cause it hurts.

Fm   B♭m   E♭
Don't speak, I __ know what you're thinkin',

C   B♭m6
I don't need your reasons,

        C   Fm
Don't tell me 'cause it hurts,

     B♭m   C   (Fm)
Don't tell me 'cause it (hurts.)

Outro

  Fm   B♭m   E♭
‖: Don't speak, I know just what you're sayin',

C   B♭m6
So please stop explaining,

        C   Fm   B♭m   C
Don't tell me 'cause it hurts.

Fm   B♭m   E♭
Don't speak, I __ know what you're thinkin',

C   B♭m6
I don't need your reasons,

            C
I know you're good,

            Fm
I know you're good,

       B♭m   C
I know you're real good. :‖   *Repeat to fade*
                                         with vocal ad lib.

Downtown

Words & Music by
Tony Hatch

Intro   ‖: F   B♭/F | Fmaj⁷ B♭/F | F   B♭/F | Fmaj⁷ B♭/F :‖

| F   B♭/F | Fmaj⁷ B♭/F | E

| A/E B/E | E | A/E B/E ‖

Verse 1
E   Emaj⁷   A/E   B/E
When you're alone and life is making you lonely
        E   Emaj⁷   A   B
You can always go   downtown;
E   Emaj⁷   A/E   B/E
When you've got worries, all the noise and the hurry
        E   Emaj⁷   A   B
Seems to help I know,   downtown.
        E   C♯m
Just listen to the music of the traffic in the city,
E   C♯m
Linger on the sidewalk where the neon signs are pretty,
G♯m⁷
How can you lose?

Pre-chorus 1
A   B/A   A   B/A A   B/A   A
   The lights are much brighter   there,
B/A A   F♯
You can forget all your troubles,

Forget all your cares, so go;

© Copyright 1964 ATV Music Limited.
Sony/ATV Music Publishing (UK) Limited.
All Rights Reserved. International Copyright Secured.

Chorus 1

E   Emaj⁷ A/B   B
Downtown, things will be great when you're
E   Emaj⁷ A/B   B
Downtown, you'll find a place for sure
E   Emaj⁷ A/B   B
Downtown, everything's waiting for (you.)

Link 1

| E   B¹¹ | Emaj⁷ B¹¹ | E   B¹¹ | Emaj⁷ B¹¹ ‖
  you.   Down - town.

Verse 2

E   Emaj⁷   A/E   B/E
Don't hang around and let your problems surround you,
        E   Emaj⁷ A   B
There are movie shows   downtown;
E   Emaj⁷   A/E   B/E
Maybe you know some little places to go to
        E   Emaj⁷ A   B
Where they never close,   downtown.
       E   C#m
Just listen to the rhythm of a gentle bossa nova,
E   C#m
You'll be dancing with them too before the night is over,
G#m⁷
Happy again.

Pre-chorus 2

A   B/A A B/A A   B/A A
  The lights are much brighter   there,
B/A A   F#
You can forget all your troubles,

Forget all your cares, so go;

Chorus 2

E   Emaj⁷ A/B   B
Downtown, where all the lights are bright
E   Emaj⁷ A/B   B
Downtown, waiting for you tonight
E   Emaj⁷ A/B   B
Downtown, you're gonna be alright (now.)

Link 2

| E   B¹¹ | Emaj⁷ B¹¹ | F   B♭/F | Fmaj⁷ B♭/F ‖
  now. _____   Down - town,   down - town.

| *Instrumental* | F   Fmaj⁷ | B♭/F C | F   Fmaj⁷/A | B♭   C |

Instrumental | F   **Fmaj⁷** | **B♭/F** **C** | **F**   **Fmaj⁷/A** | **B♭**   **C** |

Down - town.

| **F**   **Fmaj⁷** | **B♭/F** **C** | **F**   **Fmaj⁷/A** | **B♭**   **C** ‖

Down - town.

Verse 3

       F   **Dm**
And you may find somebody kind to help and understand you,

    F   **Dm**
Someone who is just like you and needs a gentle hand

      Am⁷
To guide them along.

Pre-chorus 3

   B♭   **C/B♭ B♭ C/B♭** **B♭ C/B♭** **B♭**
     So maybe I'll   see you there,

                G
We can forget all our troubles,

Forget all our cares so go;

Chorus 3

F/C   **Fmaj⁷/C** **B♭/C**   **C**
Downtown,   things will be great when you're

F/C   **Fmaj⁷/C** **B♭/C**   **C**
Downtown,   don't wait a minute more,

F/C   **Fmaj⁷/C** **B♭/C**
Downtown,   everything's

C   **F** **B♭/F** **Fmaj⁷** **B♭/F**
waiting for you. _____

                   (Down - town.)

Coda

  ‖: **F**   **B♭/F**   **Fmaj⁷** **B♭/F**
  ‖: Down - town. (Down - town.) :‖ *Repeat to fade*

Dreams

Words by Gabrielle
Music by Timothy Laws

Intro

Dmaj9 Asus2   F#m11 E
        They can come true,—

Dmaj9 Asus2   F#m11 E
        Yeah,—

        Dmaj9 Asus2 F#m11 E
They can come true.—

| Dmaj9 Asus2 | F#m11 E | Dmaj9 Asus2 ‖
        (Move a step)

Verse 1

        F#m11 E   Dmaj9
Move a step closer,   you know that I want you,

Asus2   F#m11   E   Dmaj9
I can tell by your eyes that you want me too.—

Asus2   F#m11 E   Dmaj9
Just a question of time,   I knew we'd be to - gether

Asus2   F#m11 E/G#   Dmaj9
And that you'd be mine, I want you here for - ever.

© Copyright 1992 Zomba Music Publishers Limited (50%)/Perfect Songs Limited (50%).
All Rights Reserved. International Copyright Secured.

Pre-chorus 1

Asus²   F#m¹¹   E   Dmaj⁹
Do you hear what I'm saying,   gotta say how I feel,

Asus²   F#m¹¹   E
I can't believe you're here,   but I know that you're real.

Dmaj⁹   Asus²   F#m¹¹   E
    I know what I want and baby it's you,—

Dmaj⁹   Asus²   F#m¹¹   E   N.C.
    And you know my feelings be - cause they are true, yeah.—

Chorus 1

Dmaj⁹   Asus²
Dreams can come true,

F#m¹¹   E
Look at me babe, I'm with you.

     Dmaj⁹   Asus²
You know you gotta have hope,

     F#m¹¹   E
You know you've got to be strong.

Dmaj⁹   Asus²
Dreams can come true,

F#m¹¹   E
Look at me babe I'm with you.

     Dmaj⁹   Asus²
You know you gotta have hope,

     F#m¹¹   E
You know you've got to be strong.

Verse 2

Dmaj⁹   Asus²   F#m¹¹
          I've seen you some - times

E   Dmaj⁹
On your own and in crowds,

Asus²   F#m¹¹   E   Dmaj⁹
I knew I had to have you, my hopes didn't let me down.

Asus²   F#m¹¹ E   Dmaj⁹
Now you're by my side   and I feel so good,

Asus²   F#m¹¹   E/G#   Dmaj⁹
I've nothing to hide, don't feel that I ever could.

Pre-chorus 2

      Asus²   **F♯m¹¹ E**   **Dmaj⁹**
Do you hear what I'm saying,   gotta say how I feel,

            Asus²   **F♯m¹¹**   **E**
I can't believe you're here, but I know that you're real.

  Dmaj⁹   **Asus²**   **F♯m¹¹**   **E**
I know what I want and baby it's you,——

  Dmaj⁹   **Asus²**   **F♯m¹¹**   **E**   **N.C.**
Can't de - ny my feelings be - cause they are true. Yeah.——

Chorus 2   As Chorus 1

Instrumental ‖: Dmaj⁹ Asus² | F♯m¹¹ E | Dmaj⁹ Asus² | F♯m¹¹ E :‖

Verse 3

  Dmaj⁹   **Asus²**   **F♯m¹¹**
I'm not making plans for to - morrow

E   **Dmaj⁹**
Let's live for tonight,

Asus²   **F♯m¹¹ E**   **Dmaj⁹**
I know I want you baby   so hold me so tight.

          Asus²   **F♯m¹¹**   **E**   **Dmaj⁹**
Put your arms around me you make me feel so safe,

                Asus²   **F♯m¹¹ E**
Then you whisper in my ear that you're here to stay. Yeah.——

Chorus 2   As Chorus 1

       Repeat and fade

Eternal Flame

Words & Music by
Susanna Hoffs, Tom Kelly & Billy Steinberg

Intro | G | Gsus4 | G | Gsus4 ‖

Verse 1

G   Em   C   D
Close your eyes, give me your hand, darling,

G   Em   C   D   Em
Do you feel my heart beating, do you understand?

           B7   Em7 A7   D   Bm7
Do you feel the same? Am I only dreaming?

Am7   G
Is this burning an eternal flame?

Verse 2

        Em   C   D
I believe it's meant to be, darling.

G   Em   C   D   Em
I watch you when you are sleeping; you belong with me.

           B7   Em7 A7   D   Bm7
Do you feel the same? Am I only dreaming?

    Am7   D
Or is this burning an eternal flame? ____

Bridge 1

       Dm7   G/D   D
Say my name, sun shines through the rain.

         F   G
A whole life so lonely,

             C   G/B   Am Am7
And then you come and ease the pain.

D   Bm   F/C   C   D
I don't want to lose this feel - ing, oh: _____

Guitar solo | Em B7 | Em7 A7 | D Bm7 | Am7 | Am7 ‖

© Copyright 1988 & 1989 Billy Steinberg Music/Sony/ATV Tunes LLC/Bangophile Music, USA.
Sony/ATV Music Publishing (UK) Limited (66.66%)/Universal Music Publishing Limited (33.34%).
All Rights Reserved. International Copyright Secured.

Bridge 2

D   Dm7 G/D   D
Say my name, sun shines through the rain.

      F   G
A whole life so lonely,

        C   G/B   Am Am7
And then you come and ease the pain.

D   Bm   F/C C D
I don't want to lose this feel - ing, oh: _____

Verse 3

G   Em C   D
Close your eyes, give me your hand, _____

G   Em   C   D   Em
Do you feel my heart beating, do you understand?

     B7   Em7 A7   D   Bm7
Do you feel the same? Am I only dreaming?

  Am7   G
Or is this burning an eternal flame? _____

Verse 4

G   Em C   D
Close your eyes, give me your hand, _____

G   Em   C   D   Em
Do you feel my heart beating, do you understand?

     B7   Em7 A7   D   Bm7
Do you feel the same? Am I only dreaming?

Am7   G
Is this burning an eternal flame?

Verse 5

G   Em C   D
Close your eyes, give me your hand,

G   Em   C   D   Em
Do you feel my heart beating, do you understand?

     B7   Em7 A7   D   Bm7
Do you feel the same? Am I only dreaming?

Am7   G
An eternal   flame?

Verse 6

  G   Em C   D
‖: Close your eyes, give me your hand, _____

G   Em   C   D   Em
Do you feel my heart beating, do you understand?

     B7   Em7 A7   D   Bm7
Do you feel the same? Am I only dreaming?

Am7   G
Is this burning an eternal flame? :‖ *Repeat to fade*

Feel Good Time

Words & Music by
Beck, William Orbit & Jay Ferguson

Intro   ‖: C B♭ F │ E♭   :‖ *Play 8 times*

│ C G♭   │ G D♭   ‖

Verse 1

C   B♭
We go where we like,

F   E♭
We got overtime,

C   B♭   F E♭
We get paid to rattle our chains

C   B♭
We go in the back,

F   E♭
Paint our money black,

C   B♭ F E♭
Spend it on the enemy.

Verse 2

C   B♭
Sleeping in the church,

F   E♭
Riding in the dirt

C   B♭   F E
Put a banner over my grave.

C   B♭
Make a body work,

F   E♭
Make a beggar hurt,

C   B♭   F E♭
Sell me something big and untamed

© Copyright 2003 Rondor Music (London) Limited (60%)/Copyright Control (40%).
All Rights Reserved. International Copyright Secured.

	C B♭ F E♭			C B♭ F	E♭

Chorus 1   Now our time—— real good time,

           C B♭ F   E♭   C B♭ F   E♭
Now our time—— real good time.

           C B♭ F   E♭   C B♭ F   E♭
Now our time—— real good time,

   C E♭ G   E♭   C
Ba - a - a - by, you're mine.

Interlude | C B♭ F | E♭ | C G♭ | G D♭ ‖

   C   B♭
Verse 3   We know how to pray,

   F   E♭
Party eve - ryday,

          C   B♭ F E♭
Make our deso - lation look plain

   C   B♭
Riding in a rut,

   F   E♭
Till the power's cut,

         C   B♭   F E♭
We don't even have a good name.

   C   B♭
Verse 4   Sleeping in the church,

   F   E♭
Riding in the dirt,

        C   B♭ F E♭
Put a banner over my grave.

   C   B♭
Make a body work,

   F   E♭
Make a beggar hurt,

        C   B♭   F E♭
Sell me something big and untamed

Chorus 2   As Chorus 1

Interlude   ‖: C B♭ F | E♭   :‖ *Play 10 time w/vocal ad lib.*

Chorus 3

        C B♭F E♭   C B♭F E♭
Now our time——— real good time,

        C B♭F E♭   C B♭F E♭
Now our time——— real good time.

        C B♭F E♭   C B♭F E♭
Now our time——— real good time,

Outro

C   B♭ F   E♭   C   B♭ F   E♭
Feel good, real good, it's the same old saying.

C   B♭ F   E♭   C B♭   F   E♭
Real good,feel good, don't got no more brains.

C   B♭ F   E♭   C   B♭ F   E♭
Feel good, real good, it's the same old saying

C   B♭ F   E♭   C B♭ F   E♭
Feel good, real good, I don't got no brains.

C   E♭ G   E♭   C
Ba - a - a - by, be all mine.

Girls Just Want To Have Fun

Words & Music by
Robert Hazard

Intro   ‖: F♯ | F♯ | D♯m | D♯m B C♯ :‖

Verse 1

F♯
    I come home in the morning light
   D♯m
My mother says when you gonna live your life right
B
  Oh mother dear we're not the fortunate ones,
   D♯m   C♯   B
And girls they want to have fun,
   D♯m   C♯   F♯
Oh girls just want to have fun.

Link 1 | F♯ | F♯ | D♯m | D♯m B C♯ ‖

Verse 2

F♯
    The phone rings in the middle of the night
   D♯m
My father yells "What you gonna do with your life?"
B
  Oh daddy dear you know you're still number one
   D♯m   C♯   B
But girls they want to have fun
   D♯m   C♯
Oh girls just want to have__

© Copyright 1984 Heroic Music, USA.
Sony/ATV Music Publishing (UK) Limited.
All Rights Reserved. International Copyright Secured.

Chorus 1

F♯
That's all they really want,

D♯m
Some fun,

F♯
When the working day is done

D♯m   C♯   B
Oh girls__ they want to have fun

D♯m   C♯   F♯
Oh girls just want to have fun.

Link 2

F♯
Girls they want,

      D♯m
Want to have fun,

  B   C♯
Girls want to have__

Instr.

| F♯ | F♯ | D♯m | D♯m |

| F♯ | F♯ | D♯m | D♯m B C♯ ‖

Verse 2

F♯
Some boys take a beautiful girl

  D♯m
And hide her away from the rest of the world

B
I want to be the one to walk in the sun

  D♯m C♯   B
Oh girls they want to have fun,

  D♯m C♯   F♯
Oh girls just want to have,

Chorus 2 As Chorus 1

Link 3 As Link 2

F♯   D♯m   B   C♯
    They just wanna, they just wan - na,

F♯   D♯m   B   C♯
    They just wanna, they just wan - na,

F♯   D♯m   B   C♯
Girls - girls just want to have fun.

F♯   D♯m   B   C♯
    They just wanna, they just wan - na,

F♯   D♯m   B   C♯
    They just wanna, they just wan - na,

F♯   D♯m   B   C♯
    They just wanna, they just wan - a,

F♯   D♯m   B   C♯
Girls - girls just want to have fun

F♯ D♯m   B   C♯
  When the work - ing

F♯   D♯m   B   C♯
When the working day is done oh

F♯   D♯m   B   C♯
When the working day is done oh

F♯   D♯m   B   C♯ | F♯ | D♯m B C♯ |
Girls - girls just want to have fun

F♯   D♯m   B   C♯
    They just wanna, they just wan - na,

F♯   D♯m   B   C♯
    They just wanna, they just wan - na,

   F♯   D♯m   B   C♯
Oh girls - girls just want to have fun.

F♯ D♯m   B   C♯
  When the work - ing

F♯   D♯m   B   C♯
When the working day is done oh

F♯   D♯m   B   C♯
When the working day is done oh

F♯   D♯m   B   C♯   F♯
Girls - girls just want to have fun

                              D♯m   B   C♯
They just wanna, they just wan - na_   *(To fade)*

Gloria

Words & Music by
Giancarlo Bigazzi & Umberto Tozzi

Intro

| A | A | A | A |

| E | E | E | E |

| A | A | A | A ‖

Verse 1

E   A
Gloria, you're always on the run now

              E
Running after some - body,

          A
You gotta get him somehow.

          E
I think you got to slow down

         A
Before you start to blow it

            E
I think you're headed for a breakdown

        A
So be careful not to show it.

Chorus 1

                    F♯m
You really don't re - member,

B   E
  Was it something that he said

A   D
  Or the voices in your head

E | A | A |
  Calling Gloria?

© Copyright 1979 S.p.A. MELODI Casa Editrice, Italy.
Sugar Songs UK Limited.
All Rights Reserved. International Copyright Secured.

Verse 2

   E   A
Gloria, don't you think you're falling,

               E
If everybody wants you,

          A
Why isn't anybody calling?

          E
You don't have to answer,

 G   D   E
   Leave 'em hanging on the line, oh

                 | A | A |
Calling Gloria.

Verse 3

   E   A
Gloria, I think they got your number,

               E
I think they got the alias

                  A
That you've been living under.

Chorus 2

                         F#m
But you really don't re - member

 B   E
   Was it something that he said

 A   D
   Or the voices in your head

 E | A | A |
   Calling Gloria?

Instrumental | E | E | E | E |

                | A | A | A |

Ah ha ha.——

Verse 4

   E   A
Gloria, how's it gonna go down,

                    E
Will you meet him on the main line?

                    A
Or will you catch him on the rebound?

                 E
Will you marry for the money,

cont.

                      A
Take a lover in the afternoon?

              E
Feel your innocence slipping away

                    A
Don't believe it's coming back soon.

Chorus 3

                       F#m
And you really don't re - member

B   E
Was it something that he said

A   D
  Or the voices in your head

E | A | A |
  Calling Gloria?

Verse 5

E   A
Gloria, don't you think you're falling,

              E
If everybody wants you,

               A
Why isn't anybody calling?

              E
You don't have to answer,

G   D   E
  Leave 'em hanging on the line, oh

        | A | A |
Calling Gloria.

Verse 6

E   A
Gloria, I think they got your number,

              E
I think they got the alias

               A
That you've been living under.

Chorus 4   As Chorus 2

Outro   ‖: E | E | A | A :‖ *Repeat to fade*

A Hazy Shade Of Winter

Words & Music by
Paul Simon

Capo first fret

Intro

Em
Time, time, time,

          D   **Em**
See what's be - come of me.

‖: **Em** | **D** | **C** | **B7**   :‖

Verse 1

Em
Time, time, time,

       D
See what's become of me,

     C
While I looked around

         Bm
For my possi - bilities,

    D
I was so hard to please.

Verse 2

        Em   **D**
Look a - round, leaves are brown

        C   **B7**   **Em**
And the sky is a hazy shade of winter.

            D
Here the Salvation Army band,

C
Down by the river side,

There's bound to be a better ride,

   Bm
Than what you've got planned,

     D
Carry a cup in your hand.

© Copyright 1966 Paul Simon.
All Rights Reserved. International Copyright Secured.

Verse 3

        Em   **D**
Look a - round, leaves are brown

        C   **B7**   **Em**
And the sky is a hazy shade of winter.

           D
Hang on to your hopes my friend,

C
That's an easy think to say

But if your hopes should pass away

Bm
Simply pretend,

        D
That you can build them again.

Verse 4

        Em   **D**
Look a - round, grass is high,

        C
Fields are ripe,

        B7   **N.C.**
It's the springtime of my life.

Middle

   C   **G**
   Seasons change with the scenery,

      D
Weaving time in a tapestry

Bm   **D**
Won't you stop and re - member me...

Interlude   ‖: Em | D | C | B⁷   :‖

Verse 5

Em   D
Look a - round, leaves are brown

C   B⁷   Em
And the sky is a hazy shade of winter.

D   C
Look a - round, leaves are brown

B⁷   Em
There's a patch of snow on the ground.

D   C
Look a - round, leaves are brown

B⁷   Em
There's a patch of snow on the ground.

D/F♯   C
Look a - round, leaves are brown

B⁷   Em
There's a patch of snow on the ground.

Hanging On The Telephone

Words & Music by
Jack Lee

Capo third fret

Verse 1

N.C.   C
I'm in the phone booth, it's the one across the hall,
Em   C
If you don't answer, I'll just ring it off the wall
Em   C
I know he's there, but I just got to call.
                      D   Em
Don't leave me hanging on the tele - phone,
              C   D   Em
Don't leave me hanging on the tele - phone.

Verse 2

                          C
I heard your mother now she's going out the door
Em   C
Did she go to work or just go to the store?
Em   C
All those things she said, I told you to ignore.
         Am   Em
Oh why can't we talk again?
         Am   Em
Oh why can't we talk again?
         Am
Oh why can't we talk again?
      C   D   Em
Don't leave me hanging on the tele - phone,
      C   D   Em
Don't leave me hanging on the tele - phone.

© Copyright 1978 Rare Blue Music Incorporated/Monster Island Music Incorporated, USA.
Chrysalis Music Limited.
All Rights Reserved. International Copyright Secured.

Verse 3

N.C   C
It's good to hear your voice, you know it's been so long
Em   C
If I don't get your calls then everything goes wrong
Em   C
I want to tell you something you've known all along,
                      D   Em | C |
Don't leave me hanging on the tele - phone.

Interlude

| Em | C | Em | C | C |

| C | D | Em | Em ‖

Verse 4

                       C
I had to interrupt and stop this conversation,
Em   C
  Your voice across the line gives me a strange sensation,
Em   C
  I'd like to talk when I can show you my affection.

        Am   Em
Oh I can't control myself,
        Am   Em
Oh I can't control myself,
        Am
Oh I can't control myself,
                C   D   Em
Don't leave me hanging on the tele - phone.

Verse 5

        C
Hang up and run to me,
Em   C
Oh, hang up and run to me,
Em   C
Oh, hang up and run to me,
Em   C
Oh, hang up and run to me,
Em   C
Oh - o - o - o - oh, run to me.

| C G/B | G D | Em |

Hit Me With Your Best Shot

Words & Music by
Eddie Schwartz

Intro

‖: E5 A │ C#m B │ E5 A │ C#m B A B :‖

Verse 1

        E5   B/D#   C#m   A
You're a real tough cook - ie with the long history
B
Of breaking little hearts like the one in me.
E5   B/D# C#m   A
   That's ok, let's see how you do it,
B
   Put up you're dukes, let's get down to it.

Chorus 1

E5   A   C#m B
Hit me with your best shot!
           E5   A   C#m B A B
Why don't you hit me with your best shot,
E5   A   C#m B
Hit me with your best shot!
      E5 A C#m B A B
Fire away!——

Verse 2

     E5   B/D# C#m   A
You come on with a come on, you don't fight fair
B
   But that's ok, see if I care!
E5   B/D# C#m   A
Knock me down, it's all in vain
B
I'll get right back on my feet again.

© Copyright 1980 ATV Music Publishing Of Canada.
Sony/ATV Music Publishing (UK) Limited.
All Rights Reserved. International Copyright Secured.

Chorus 2

    E5   A   C♯m B
Hit me with your best shot!
            E5   A   C♯m B A B
Why don't you hit me with your best shot,
   E5   A   C♯m B
Hit me with your best shot!
        E5 A C♯m B A B
Fire away!—

Guitar Solo

‖: E5 B/D♯ | C♯m A | B | B   :‖

‖: E5 A | C♯m B | E5 A | C♯m B A B:‖

Verse 3

             E5   B/D♯   C♯m7
Well you're the real tough cookie with the long history
  B
Of breaking little hearts, like the one in me
       E5   B/D♯   C♯m7
Before I put another notch   in my lipstick case
  B
You better make sure you put me in my place.

Chorus 3

   E5   A   C♯m B
Hit me with your best shot!
         E5   A   C♯m B A B
Come on, hit me with your best shot!
  E5   A   C♯m B
Hit me with your best shot!
      E5 A C♯m B A B
Fire away!—
  E5   A   C♯m B
Hit me with your best shot!
         E5   A   C♯m B A B
Why don't you hit me with your best shot!
  E5   A   C♯m B
Hit me with your best shot!
      E5 A C♯m B A B
Fire away!—

Outro

‖: E5 A | C♯m B A B :‖ *Play 3 times*

| Ê | E7   ‖

Holding Out For A Hero

Words & Music by
Dean Pitchford & Jim Steinman

Intro

F	Am	Am	
Am	Am	G	G	
F	F	E	E	
Am	Am	G	G	
F	F	E	E	‖

Verse 1

Am
Where have all the good men gone

G
And where are all the Gods?

F
Where's the street - wise Hercules

E   **E/G♯**
To fight the rising odds?

Am   **Em**
Isn't there a white knight upon a fiery steed?

Dm   **E**
Late at night I toss and turn and dream of what I need.

© Copyright 1984 Ensign Music Corporation, USA.
Famous Music Publishing Limited.
All Rights Reserved. International Copyright Secured.

Chorus 1

    Am
I need a hero,

               Em
I'm holding out for a hero 'til the end of the night.

  F
He's gotta be strong,

And he's gotta fast,

      C   **G**
And he's gotta be fresh from the fight.

    Am
I need a hero,

               Em
I'm holding out for a hero 'til the morning light.

  F
He's gotta be sure,

And it's gotta soon,

      C   **G**
And he's gotta be larger than life.

Link 1

Am	Am	G	G	
F	F	E	E	

Verse 2

Am
  Somewhere after midnight

  G
In my wildest fantasy

F
Somewhere just beyond my reach

      E   **E/G♯**
There's someone reaching back for me.

Am
  Racing on the thunder and rising with the heat

Dm   **Em**   **E** | **E**
  It's gonna take a superman to sweep me off feet.

Chorus 2

    Am
I need a hero,

                     Em
I'm holding out for a hero 'til the end of the night.

   F
He's gotta be strong,

And he's gotta fast,

          C   **G**
And he's gotta be fresh from the fight.

    Am
I need a hero,

                   Em
I'm holding out for a hero 'til the morning light.

   F
He's gotta be sure,

      Dm
And it's gotta soon,

        C   **G** | **G** |
And he's gotta be larger than life.

    Am
I need a hero,

                   Em
I'm holding out for a hero 'til the end of the night.

Instrumental | **Am** | **Am** | **F** | **F** |

                     | **Dm** | **E** | **Am** | **Am** |

                     | **Am** | **Am** | **F** | **F** |

                     | **Dm** | **E** | **Am** | **Am**   ‖

Bridge

Am
Up where the mountains meet the Heavens above
F
Out where the lightning splits the sea
Dm   **E**
I would swear that there's someone somewhere
Am
Watching me.

Through the wind and the chill and the rain
F
And the storm and the flood
Dm   **E**
I can feel his ap - proach
                              Am
Like the fire in my blood.

Link 2 | E♭dim | G♭dim | Adim | Cdim |

              | Em | E   ‖

Chorus 2   As Chorus 2

Outro | F | F | C | G |

              | Am | Am | Em | Em |

              | F | F | C | G |

              | Am | Am | Em   ‖

(Drums to fade)

79

Here Comes The Rain Again

Words & Music by
A. Lennox & D.A. Stewart

Intro   ‖: Am | Am | F | F |
           | G | G | Am | Am :‖

Verse 1
Am
  Here comes the rain again
F
Falling on my head like a memory
G   **Am**
Falling on my head like a new emotion.

I want to walk in the open wind
F
I want to talk like lovers do
G
Want to dive into your ocean
     Am
Is it raining with you?

Chorus 1
       F
So baby talk to me
   C
Like lovers do
F
Walk with me
   C
Like lovers do
F
Talk to me
   C
Like lovers do

© Copyright 1983, 1984 D'N'A Limited.
BMG Music Publishing Limited.
All Rights Reserved. International Copyright Secured.

| *Link 1* | ‖ D | | D | | G | | G | | ‖ |

Verse 2

Am
  Here comes the rain again
F
Raining in my head like a tragedy
G   **Am**
Tearing me apart like a new emotion.

I want to breathe in the open wind
F
  I want to kiss like lovers do
G
Want to dive into your ocean
     Am
Is it raining with you?

Chorus 2   As Chorus 1

Link 2   ‖ D   D   G   G ‖

Instr. | Em | F | Am | Am ‖

                  | Em | F | G | G ‖

Bridge

       F
So baby talk to me
     C
Like lovers do

| **D** | **D** | **G** | **G** | ‖

Am **F** **G Am**
   Ooh   Ooh yeah

Am   **F**   **G** **Am**
  Here it comes again. Ooh yeah

Verse 3

  Am
‖: Here comes the rain again
F
Falling on my head like a memory
G   **Am**
Falling on my head like a new emotion.

Here it comes again

Here it comes again

I want to walk in the open wind
F
I want to talk like lovers do
G
Want to dive into your ocean

    Am
Is it raining with you? :‖ *Repeat to fade*

82

I Say A Little Prayer

Words by Hal David
Music by Burt Bacharach

Intro | F#m | Bm7 | Bm7 | E | Amaj7 | D | C#7

Verse 1

   F#m   Bm7
  The moment I wake up,
           E   Amaj7
Before I put on my make-up
  D   C#7
I say a little prayer for you.
  F#m   Bm7
  And while combing my hair now
           E   Amaj7
And wond'ring what dress to wear now,
  D   C#7
I say a little prayer for you.

Chorus 1

     D   E   C#m   F#m
Forever, forever, you'll stay in my heart
       Bm/A A7   D   E
And I will love   you forever and ever.
   C#m   F#m
We never will part,
      Bm/A A7
Oh, how I'll love   you.
   D   E   C#m   F#m
Together, together, that's how it must be.
       Bm/A A7
To live without   you
    D   D/E   C#7
Would only mean heart-break for me.

© Copyright 1966 Blue Seas Music Incorporated/Casa David Music Incorporated, USA.
Windswept Music (London) Limited (50%)/Universal/MCA Music Limited (50%).
All Rights Reserved. International Copyright Secured.

Verse 2

F#m   Bm7
    I run for the bus, dear,

         E   Amaj7
While riding, I think of us, dear,

D   C#7
I say a little prayer for you.

F#m   Bm7
    At work I just take time

            E   Amaj7
And all through my coffee break time

D   C#7
I say a little prayer for you.

Chorus 2

        D   E   C#m   F#m
‖: Forever, forever, you'll stay in my heart

       Bm/A A7   D   E
And I will love   you forever and ever.

     C#m   F#m
We never will part,

          Bm/A A7
Oh, how I'll love   you.

       D   E   C#m   F#m
Together, together, that's how it must be.

       Bm/A A7
To live without   you

       D   D/E   C#7
Would only mean heart-break for me. :‖

Middle 1

F#m   Bm7
    My darling, believe me,

           E7   Amaj7
For me there is no one but you.

    D/E   Amaj7
Please love me too,

D/E   Amaj7
I'm in love with you.

D/E   Amaj7
Answer my prayer, baby,

D/E   Amaj7
Say you love me too,

    D/E   Amaj7
Answer my prayer, please.

Chorus 3

      D   **E**   **C♯m**   **F♯m**
Forever, forever, you'll stay in my heart

     Bm/A **A7**   **D**   **E**
And I will love   you forever and ever.

 C♯m   **F♯m**
We never will part,

      Bm/A **A7**
Oh, how I'll love   you.

      D   **E**   **C♯m**   **F♯m**
Together, together, that's how it must be.

      Bm/A **A7**
To live without   you

      D   **D/E**   **C♯7**
Would only mean heart-break for me.

Middle 2

 F♯m   **Bm7**
  My darling, believe me,

       E7   **Amaj7**
For me there is no one but you.

  D/E   **Amaj7**
Please love me too.

  D/E   **Amaj7**
𝄆 This is my prayer,

  D/E   **Amaj7**
Answer my prayer now, baby. 𝄇   *Repeat to fade*
                                       with vocal ad lib.

I Should've Known

Words & Music by
Aimee Mann

Capo third fret

Intro   **N,C** (Instrumental ad-lib)

| **G** | **D** | **Am** | **C** | **C** |

Verse 1

C C/B   Am
I should thank you almost
Em   **D**   **C**
No one could kill it off un - til you bled it.
           C/B Am
But I got   rid of that ghost
Em   **D**   **C**
Though certain habits still remain im - bedded.
         C/B Am
With the   shadow of a doubt
Em   **D**   **C**
But baby it was you who fed it,
       F   **C/E**
And I don't know what else to say
      C/D   **C**
But I think you get it.

© Copyright 1993 BMG Music Publishing Limited.
All Rights Reserved. International Copyright Secured.

Chorus 1

        G   **D**
I should've known

Am   **C**
It was coming down to this.

        G   **D**
I should've known

          Am   **C**
You would be - tray me but without the kiss.

        G   **D**
I should've known

    Am   **C**
The kind of set-up it is.

Verse 2

C   **C/B** **Am**
And al - ways isn't always

Em   **D**   **C**
When it's not your photograph that I've been keeping,

        C/B **Am**
But you still live in those days

Em   **D**   **C**
When I'd stay awake just to watch you sleeping.

  C/B **Am**
You de - livered that blow

Em   **D**   **C**
But it left a mark on me that you're not seeing.

  F   **C/E**
And I don't know what else you hear

    C/D   **C**
But it's not me weeping.

Chorus 2   As Chorus 1

Bridge

A
I should've seen the cracks in the ceiling

    Em
And the mirror covered up with dust,

Bm   **A**   **D**
But I was busy talking on the phone

 Dm   **A**   **A/G♯**
I should've seen the obstacles but I said,

    F♯m   **F♯m/E** **D**
"This house was built for us"

Bm   **G**   **Bm**
Hello— is anybody home?

Instrumental ‖: F♯m | B | G | Bm |

| A | Bm | G | D :‖

Chorus 3

        A   **E**
I should've known

  Bm   **D**
The minute that we hit the wall

        A   **E**
I should've known

  Bm   **D**
The writing was upon the stall

        A   **E**
I should've known

  Bm   **D**
'Cos Rome was starting to fall

Outro ‖: F♯m | B | G | Bm :‖ *Play 7 times*

| F♯m | B | C | Em ‖

| ⌢
  Â |

I Will Survive

Words & Music by
Dino Fekaris & Freddie Perren

Verse 1

Am7   **Dm7**
First I was afraid, I was petrified,

             G   **Cmaj7**
Kept thinking I could never live without you by my side.

        Fmaj7
But then I spent so many night

      Bm7♭5
Thinking how you did me wrong

        E7sus4   **E7**
And I grew strong, and I learned how to get along.

Verse 2

           Am7   **Dm7**
And so you're back from outer space,

            G   **Cmaj7**
I just walked in to find you here with that sad look upon your face.

      Fmaj7
I should have changed that stupid lock,

      Bm7♭5
I should have made you leave your key

     E7sus4   **E7**
If I had known for just one second you'd be back to bother me.

Verse 3

          Am7   **Dm7**
Go on now, go! Walk out the door,

       G   **Cmaj7**
Just turn around now 'cause you're not welcome anymore.

Fmaj7   **Bm7♭5**
  Weren't you the one who tried to hurt me with goodbye?

      E7sus4
Do you think I'd crumble?

      E7
Do you think I'd lay down and die?

© Copyright 1978 Perren-Vibes Music Company/
PolyGram International Publishing Incorporated, USA.
Universal Music Publishing Limited.
All Rights Reserved. International Copyright Secured.

Chorus 1

        Am7   **Dm7**
Oh no, not I, I will survive.

     G   **Cmaj7**
Oh, as long as I know how to love I know I'll stay alive.

       Fmaj7   **Bm7♭5**
I've got all my life to live, I've got all my love to give,

        E7sus4   **E7**
And I'll survive, I will survive, (hey!)

Instrumental | **Am7** | **Dm7** | **G** | **Cmaj7** |
            hey!

       | **Fmaj7** | **Bm7♭5** | **E7sus4** | **E7**   ‖

Verse 4

        Am7   **Dm7**
It took all the strength I had not to fall apart,

          G   **Cmaj7**
Kept trying hard to mend the pieces of my broken heart;

        Fmaj7
And I spent oh so many nights

        Bm7♭5
Just feeling sorry for myself.

        E7sus4   **E7**
I used to cry, but now I hold my head up high.

Verse 5

          Am7   **Dm7**
And you see me, somebody new,

         G   **Cmaj7**
I'm not that chained-up little person still in love with you.

        Fmaj7
And so you felt like dropping in

        Bm7♭5
And just expect me to be free?

        E7sus4   **E7**
Now I'm saving all my loving for someone who's loving me.

Verse 6

        Am7   **Dm7**
Go on now, go! Walk out the door,

         G   **Cmaj7**
Just turn around now 'cause you're not welcome anymore.

Fmaj7   **Bm7♭5**
   Weren't you the one who tried to break me with goodbye?

        E7sus4
Do you think I'd crumble?

        E7
Do you think I'd lay down and die?

Chorus 2

        Am⁷   **Dm⁷**
Oh no, not I, I will survive.

   G   **Cmaj⁷**
Oh, as long as I know how to love I know I'll stay alive.

   Fmaj⁷   **Bm⁷♭5**
I've got all my life to live, I've got all my love to give,

     E⁷sus⁴   **E⁷**
And I'll survive, I will survive.

Verse 7

        Am⁷   **Dm⁷**
Go on now, go! Walk out the door,

   G   **Cmaj⁷**
Just turn around now 'cause you're not welcome anymore.

Fmaj⁷   **Bm⁷♭5**
  Weren't you the one who tried to break me with goodbye?

        E⁷sus⁴
Do you think I'd crumble?

        E⁷
Do you think I'd lay down and die?

Chorus 3

        Am⁷   **Dm⁷**
Oh no, not I, I will survive.

   G   **Cmaj⁷**
Oh, as long as I know how to love I know I'll stay alive.

   Fmaj⁷   **Bm⁷♭5**
I've got all my life to live, I've got all my love to give,

     E⁷sus⁴   **E⁷**
And I'll survive, I will survive, I will sur - (vive.)

Coda

Am⁷	**Dm⁷**	**G**	**Cmaj⁷**	
- vive.				

Fmaj⁷	**Bm⁷♭5**	**E⁷sus⁴**	**E⁷**	

‖: **Am⁷**	**Dm⁷**	**G**	**Cmaj⁷**	

Fmaj⁷	**Bm⁷♭5**	**E⁷sus⁴**	**E⁷**	:‖ *Repeat to fade*

I'm Outta Love

Words & Music by
Anastacia, Sam Watters & Louis Biancaniello

Capo first fret

Intro ‖: Am | Am | F6/9 | F6/9 :‖

           Am   E
Oooaaah,
G   D
Whoh,   yeah, yeah, yeah, yeah,
Am   E
     Oh yeah,
G   D
     Uh-huh.

Verse 1

Am   E
   Now baby, come on,
        G   D   Am
Don't claim that love you never let me feel.
        E
I shoulda known
        G   D
'Cos you've brought nothing real,
                  Am
Come on be a man about it,
E
You won't die,
F   Dm7   E7
I ain't got no more tears to cry.
        Am   E
And I can't take this no more,
                F   E
You know, I gotta let it go.

And you know,

© Copyright 2000 Breakthrough Creations/S.M.Y. Publishing/
Sony/ATV Tunes LLC/Poho Productions, USA.
Sony/ATV Music Publishing (UK) Limited (85%)/Universal Music Publishing Limited (15%).
All Rights Reserved. International Copyright Secured.

Chorus 1

N.C.   **Am**
I'm outta love,

   E
Set me free

      G   **D**
And let me out this mis - ery.

            Am   **E**
Just show me the way to get my life again

N.C. G   **D**
'Cos you can't handle me.

        Am
Said, I'm outta love,

     E
Can't you see

      F   **E**
Baby, that you gotta set me free?

        Am
I'm outta love,   yeah.

Verse 2

Am   **E**
   Said, how many times

G   **D**   **Am**
Have I tried to turn this love a - round?

     E
But every time

G   **D**
You just let me down.

       Am
Come on, be a man about it,

E
You'll survive,

F   **Dm7**   **E7**
True that you can work it out all right.

     Am
Tell me, yesterday,

  E
Did you know

    F   **E**
I'd be the one to let you go?

And you know,

Chorus 2

N.C.   **Am**
I'm outta love

   E
Set me free

    G   **D**
And let me out this mis - ery

        Am   **E**
Just show me the way to get my life again

G   **D**
You can't handle me

     Am
Said, I'm outta love

    E
Can't you see

    F   **E**
Baby that you gotta set me free?

I'm outta...

Bridge

Fmaj⁷
 Let me get over you

E⁷
 The way you've gotten over me too, yeah.

Fmaj⁷
 Seems like my time has come

 Bm⁷   **E¹¹**
And now I'm moving on,

I'll be stronger.

Chorus 3

(Am)
I'm outta love,

(E)
Set me free

      (G)   **(D)**
And let me out this mis - ery.

      (Am)   **(E)**
Show me the way to get my life again

(G)   **(D)**
You can't handle me.

     Am   **E**
Said, I'm outta love , set me free

    G   **D**
And let me out this mis - ery.

     Am   **E**
Show me the way to get my life again,

G   **D**
You can't handle me.

     Am   **E**
Said I'm outta love, can't you see

    G   **D**
Baby that you gotta set me free?

    Am
I'm outta love,

N.C.
Yeah, yeah, yeah, yeah.

    Am   **E**
I'm outta love, set me free

    G   **D**
And let me out this mis - ery

      Am   **E**
Just show me the way to get my life again

G   **D**
You can't handle me

      Am
(I said) I'm outta love

E
Set me free

    G   **D**
And let me out this mis - ery

                 Fade

If It Makes You Happy

Words & Music by
Sheryl Crow & Jeffrey Trott

Intro | G | Gsus2/4 | G | Gsus2/4 ‖

Verse 1

     G   **Gsus2/4**
I belong

          G   **Gsus2/4**
A long way from here,

G   **Gsus2/4**
Put on a poncho, played for mosquito's

     G   **C**
And drank till I was thirsty a - gain.

     G   **Gsus2/4**
We went searching

          G   **Gsus2/4**
Through thrift store jungles,

     G   **Gsus2/4**
Found Ge - ronimo's rifle, Marilyn's shampoo,

     G   **C**
And Benny Goodman's corset and pen.

          D
Well ok, I made this up

  C   **D**
I promised you I'd never give up.

Chorus 1

N.C   **Am**
If it makes you happy,

C   **G**   **D**
  It can't be that bad.

         Am
If it makes you happy,

C   **G**
  Then why the hell are you so sad?

© Copyright 1996 Warner/Chappell Music Limited (50%)/IQ Music Limited (50%).
All Rights Reserved. International Copyright Secured.

| Gsus²/⁴ | G | Gsus²/⁴ ‖

                          G   Gsus²/⁴
Verse 2   You get down,
                          G   Gsus²/⁴
                      Real low down.
                          G   Gsus²/⁴
                      You listen to Coltrane, derail your own train
                          G   C
                      Well who hasn't been there be - fore?
                          G   Gsus²/⁴   G   Gsus²/⁴
                      I come round, around the hard way.
                          G   Gsus²/⁴
                      Bring you comics in bed,

                      Scrape the mould off the bread
                                             C
                      And serve you French toast a - gain.
                                     D
                      Well ok, I still get stoned,
                          C   D
                      I'm not the kind of girl you'd take home.

Chorus 2   As Chorus 1

                                     Am
Chorus 3   If it makes you happy,
                      C   G   D
                         It can't be that bad.
                                     Am
                      If it makes you happy,
                      C   Em | Em
                      Then why the hell are you so sad?

Interlude | Am | Am | Em | Em |

                      | C | C | G | Gsus²/⁴ | G | Gsus²/⁴ ‖

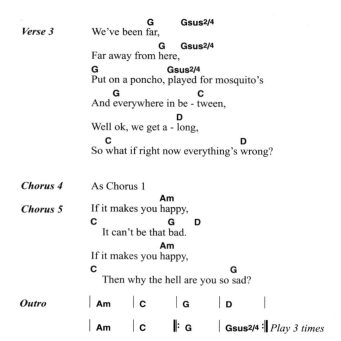

Verse 3

               G   **Gsus2/4**
We've been far,

               G   **Gsus2/4**
Far away from here,

G   **Gsus2/4**
Put on a poncho, played for mosquito's

     G   **C**
And everywhere in be - tween,

            D
Well ok, we get a - long,

 C   **D**
So what if right now everything's wrong?

Chorus 4   As Chorus 1

                Am
Chorus 5   If it makes you happy,

    C   **G**   **D**
   It can't be that bad.

                Am
If it makes you happy,

    C   **G**
   Then why the hell are you so sad?

Outro | **Am** | **C** | **G** | **D** |

             | **Am** | **C**   ‖: **G** | **Gsus2/4** :‖ *Play 3 times*

I'm Gonna Getcha Good!

Words & Music by
Shania Twain & Robert John 'Mutt' Lange

Capo 1st fret

Intro | Am | C G | Am | C G |

Verse 1

  Am N.C.   C   G
Don't want ya for the weekend,

    Am N.C.   Am G
Don't want ya for a night.

  N.C.   C   G   Am   G
I'm only interested if I can have you for life, yeah.

 Am   C   G
I know I sound serious,

   Am   C   G
And baby I am

       Am
You're a fine piece of real estate,

    C   G   Am
And I'm gonna get me some land.

C   G
  Oh, yeah.

Bridge 1

 G   F
 So, don't try to run honey,

 G   F
 Love can be fun.

 C   Dm
 There's no need to be alone,

      F
When you find that someone.

Chorus 1

 C   G
 I'm gonna getcha while I gotcha in sight,

Am   F
 I'm gonna getcha if it takes all night,

 C   G
 You can betcha by the time I say go,

© Copyright 2002 Songs of PolyGram International Incorporated/
Loon Echo Incorporated/Universal Music Publishing Limited (50%)/
Out Of Pocket Productions Limited/Zomba Music Publishers Limited (50%).
All Rights Reserved. International Copyright Secured.

cont.

         F
You'll never say no.

C   **G**
  I'm gonna getcha, it's a matter of fact

Am   **F**
  I'm gonna getcha, don't ya worry 'bout that

C   **G**
  You can bet your bottom dollar

           F
In time you're gonna be mine.

       G   **Am** | **C** **G** |
Just like I should, I'll getcha good,   yeah.

| **Am** | **C**   **G** |

Am   **C**   **G**
Verse 2   I've already planned it,

        Am   **C**   **G**
Here's how it's gonna be,

       Am
I'm gonna love you,

         C   **G**   **Am**
And you're gonna fall in love with me.

        C   **G**
Yeah, yeah.

Bridge 2   As Bridge 1

C   **G**
Chorus 2   I'm gonna getcha while I gotcha in sight,

Am   **F**
  I'm gonna getcha if it takes all night,

C   **G**
  You can betcha by the time I say go,

      F
You'll never say no.

C   **G**
  I'm gonna getcha, it's a matter of fact

Am   **F**
  I'm gonna getcha, don't ya worry 'bout that

C   **G**
  You can bet your bottom dollar

           F
In time you're gonna be mine.

       G   **Am** | **C** **G** | **Am** | **C**
Just like I should, I'll getcha good.

Middle

               Am
Yeah, I'm gonna getcha baby,

I'm gonna knock on wood.

I'm gonna getcha somehow honey yeah,

I'm gonna make it good.

Yeah, yeah, yeah, yeah.

Oh, yeah.

Bridge 3   As Bridge 1

Chorus 3

C   **G**
I'm gonna getcha while I gotcha in sight,
Am   **F**
I'm gonna getcha if it takes all night,
C   **G**
You can betcha by the time I say go,
      F
You'll never say no.
C   **G**
I'm gonna getcha, it's a matter of fact
Am   **F**
I'm gonna getcha, don't ya worry 'bout that
C   **G**
You can bet your bottom dollar
      F
In time you're gonna be mine.

Outro

             C
Oh, I'm gonna getcha,
G   **Am**   **F**
I'm gonna getcha real good.
           C
Yeah, you can betcha,
G   **F**
Oh, I'm gonna getcha.
     G   **Am**
Just like I should, I'll getcha good,

Oh, I'm gonna getcha good.

| **Am**   **Am7**   **Am**   ‖

Ironic

Words by Alanis Morissette
Music by Alanis Morissette & Glen Ballard

Capo 4th fret

Intro | **Cmaj7** | **D6/4** | **Cmaj7** | **Cmaj7** ‖

Verse 1

D/F♯ Gsus2 D/F♯   Em7
An old   man   turned ninety-eight,

D/F♯   Gsus2 D/F♯   Em7
He won the lottery and   died the next day.

D/F♯ Gsus2   D/F♯   Em7
It's a black fly in your Chardonnay,

D/F♯   Gsus2   D/F♯   Em7
It's a death row pardon two minutes too late.

D/F♯ Gsus2   D/F♯ Em7
Isn't it ironic? Don't you think?

Chorus 1

D   G   D   Em
It's like rain_____ on your wedding day,

D   G   D   Em
It's a free ride_____ when you've already paid.

D   G   D   Em
It's the good advice _____ that you just didn't take,

F   C   D
And who would've thought, it figures?

Verse 2

D/F♯   Gsus2 D/F♯   Em7
Mister Play-It-Safe was afraid to fly,

D/F♯ Gsus2   D/F♯   Em7
He packed his suit - case and kissed his kids good-bye.

D/F♯   Gsus2 D/F♯   Em7
He waited his whole damn life to take that flight

© Copyright 1995 Music Corporation Of America Incorporated/Vanhurst Place Music/
MCA Music Publishing/Aerostation Corporation, USA.
Universal/MCA Music Limited.
All Rights Reserved. International Copyright Secured.

cont.

                D/F♯   **Gsus2**
And as the plane crashed down he thought,
                D/F♯   **Em7**
"Well isn't this nice?"
                     D/F♯ **Gsus2**   **D/F♯ Em7**
And isn't it ironic? Don't you think?

Chorus 2   As Chorus 1

Bridge

            Cmaj7
Well life has a funny way of sneaking up
D6/4
On you when you think everything's okay and
Cmaj7   **D6/4**
Everything's going right.
         Cmaj7
And life has a funny way of helping you
D6/4
Out when you think everything's going wrong and
Cmaj7
Everything blows up in your face.

Verse 3

       D/F♯ **Gsus2**   **D/F♯**   **Em7**
A traffic jam when you're already late,
        D/F♯   **Gsus2**   **D/F♯**   **Em7**
A no-smoking sign on your cigarette break.
            D/F♯   **Gsus2**
It's like ten thousand spoons
              D/F♯   **Em7**
When all you need is a knife,
        D/F♯   **Gsus2**
It's meeting the man of my dreams
            D/F♯   **Em7**
And then meeting his beautiful wife.
         D/F♯ **Gsus2**   **D/F♯** **Em7**
And isn't it ironic? Don't you think?
            D/F♯ **Gsus2**   **D/F♯**   **Em7**
A little too ironic, and yeah, I really do think.

Chorus 3   As Chorus 1

Outro

Cmaj7 D6/4   **Cmaj7**
                And you know life has a funny way
              D6/4
Of sneaking up on you,
Cmaj7   **D6/4**   **Cmaj7**
Life has a funny, funny way of helping you out.

Helping you out.

Jolene

Words & Music by
Dolly Parton

Capo fourth fret

Intro | Am | Am | Am | Am ||

Chorus 1

    Am   C   G   Am
Jolene, Jolene, Jolene, Jolene
   G   Am
I'm begging of you please don't take my man.
    C   G   Am
Jolene, Jolene, Jolene, Jolene
G   Am
Please don't take him just because you can.

Verse 1

     Am   C
Your beauty is beyond compare,
      G   Am
With flaming locks of auburn hair,
      G   Am
With iv'ry skin and eyes of em'rald green.
                 C
Your smile is like a breath of spring,
     G   Am
Your voice is soft like summer rain,
     G   Am
And I cannot compete with you, Jolene.

Verse 2

    Am   C
He talks about you in his sleep
           G   Am
And there's nothing I can do to keep
     G   Am
From crying when he calls your name, Jolene.

© Copyright 1973 Velvet Apple Music, USA.
Carlin Music Corporation.
All Rights Reserved. International Copyright Secured.

                                   C
And I can eas'ly understand

       G   **Am**
How you could eas'ly take my man

         G   **Am**
But you don't know what he means to me, Jolene.

Chorus 2
       Am   **C**   **G**   **Am**
Jolene, Jolene, Jolene, Jolene

       G   **Am**
I'm begging of you please don't take my man.

              C   **G**   **Am**
Jolene, Jolene, Jolene, Jolene

   G   **Am**
Please don't take him just because you can.

Verse 3
   Am   **C**
You could have your choice of men,

       G   **Am**
But I could never love again,

   G   **Am**
He's the only one for me, Jolene.

                 C
I had to have this talk with you,

       G   **Am**
My happiness depends on you

          G   **Am**
And whatever you decide to do, Jolene.

Chorus 3
       Am   **C**   **G**   **Am**
Jolene, Jolene, Jolene, Jolene

       G   **Am**
I'm begging of you please don't take my man.

              C   **G**   **Am**
Jolene, Jolene, Jolene, Jolene

   G   **Am**
Please don't take him even though you can.

Jolene, Jolene.

Outro ||: **Am** | **Am** | **Am** | **Am**   :|| *Repeat to fade*

Killing Me Softly
With His Song

Words by Norman Gimbel
Music by Charles Fox

Chorus 1

(Em)   **(Am)**
Strumming my pain with his fin - gers,
(D)   **(G)**
Singing my life with his words,
(Em)   **(A)**
Killing me softly with his song,
                    (D)   **(C)**
Killing me soft - ly with his song,
                    (G)   **(C)**
Telling my whole life with his words,
          (F)   **(E)**
Killing me softly with his song.

Link

Drum rhythm for 8 bars

Verse 1

(Am)   **(D)**
  I heard he sang a good song,
(G)   **(C)**
  I heard he had a smile,
(Am)   **(D)**
  And so I came to see him
          (Em)
And listen for a while.
(Am)   **(D)**
  And there he was, this young boy,
(G)   **(B7)**
  A stranger to my eyes.

© Copyright 1972 Fox-Gimbel Productions Incorporated, USA.
Onward Music Limited.
All Rights Reserved. International Copyright Secured.

	Em Am
Chorus 2	Strumming my pain with his fin - gers,

Chorus 2

Em   Am
Strumming my pain with his fin - gers,
D   G
Singing my life with his words,
Em   A
Killing me softly with his song,
        D   C
Killing me soft - ly with his song,
        G   C
Telling my whole life with his words,
     F   E
Killing me softly with his song.

Verse 2

(Am)   (D)   (G)
  I felt all flushed with fever,
        (C)
Embarrassed by the crowd,
(Am)   (D)
  I felt he found my letters
     (Em)
And read each one out loud.
(Am)   (D)
  I prayed that he would finish,
(G)   (B7)
  But he just kept right on...

Chorus 3   As Chorus 2

Middle

Em   Am   D   G
Oh, _____ oh, _____
Em   A
La la la la la la,
D   C   G   C F   E
Woh la, woh la, _____ la.

Chorus 4   ‖: As Chorus 2 :‖ *Repeat to fade with ad lib. vocal*

The Letter

Words & Music by
Polly Jean Harvey

Verse 1

B5 D5   **B5 D5**
    Put the pen   to the paper.

B5 D5   **B5 D5**
    Press the envelope   with my scent.

B5 D5   **B5 D5**
    Can you see   in my handwriting,

B5 D5   **B5 D5**
    The curve of my 'G',   the longing?

Chorus 1

B7(no3)   **D7(no3)**
    Oh!

B7(no3)   **D7(no3)**
    Oh!

B7(no3)   **D7(no3)**
    Oh!

B7(no3)   **D7(no3)   D♭7(no3) C7(no3)**
    Oh!

Verse 2

B5 D5   **B5   D5**
    Who is left   that writes these days?

B5 D5   **B5 D5**
    But you and me,   we'll be different.

B5 D5   **B5 D5**
    Take the cap   off your pen,

B5 D5   **B5 D5**
    And wet the envelope,   lick and lick it.

© Copyright 2004 Hot Head Music Limited.
Universal Music Publishing Limited.
All Rights Reserved. International Copyright Secured.

	B7(no3)	**D7(no3)**
Chorus 2		Oh!

B7(no3)   **D7(no3)**
Oh!

B7(no3)   **D7(no3)**
Oh!

B7(no3)   **D7(no3)**   **D♭7(no3)** **C7(no3)**
Oh!

Bridge

B5/F♯   **A5** **B♭5** **B5**
     I   need you

B5/F♯   **A5**   **B♭5**   **B5**
  The time is running   out

B5/F♯   **A5** **B♭5** **B5**
     Oh ba - by

B5/F♯ **A5**   **B♭5** **B5**
    Can you hear me call?

Link | **B5** | **D5** | **B5** | **D5**   ‖

Verse 3

B5 **D5**   **B5** **D5**
    It turns me on   to imagine

B5 **D5**   **B5** **D5**
   Your blue eyes   on my words.

B5 **D5**   **B5** **D5**
   Your beautiful pen,   take the cap off.

B5 **D5**   **B5** **D5**
   Give me a sign,   and I'll come running.

Chorus 3

B7(no3)   **D7(no3)**
Oh!

B7(no3)   **D7(no3)**
Oh!

B7(no3)   **D7(no3)**
Oh!

B7(no3)   **D7(no3)**   **D♭7(no3)** **C7(no3)**
Oh!

B7(no3)   **D7(no3)**   **E5/F♯**
You!

B7(no3)   **D7(no3)**   **E5/F♯**   **B7(no3)**
You,   it's you!

D7(no3)   **E5/F♯**
I   want you.

B7(no3)   **D7(no3)** **D♭7(no3)** **C7(no3)**   **B5**
Oh,   it's   you!

Like A Prayer

Words & Music by
Madonna & Pat Leonard

Intro *God?*

Dm C/D Gm/D
Ooh,————

Dm C/D Gm/D
Ooh,————

Dm C/D Gm/D
Ooh,————

F/A B♭ F/C C
Ooh.————

Dm   C/D   Gm/D Dm
Life is a mys - te - ry,

              C/D   Gm/D   Dm
Everyone must stand a -   lone,

         C/E B♭ F/A
I hear you call my name,

B♭   F/C C   Dm
And it feels like home.——

Link | Dm | Dm | Dm | Dm |

Chorus 1

F   C
  When you call my name   it's like a little prayer,

B♭   F/A   F/D Gm/D F
I'm down on my knees,   I wanna take you   there.

             C
In the midnight hour I can feel your power,

B♭   F/A   F/D Gm/D (B♭)
  Just like a prayer   you know I'll take you   there.

© Copyright 1989 Warner Chappell Music Limited (50%)/
EMI Music Publishing Limited (25%)/Sony/ATV Music Publishing (UK) Limited (25%).
All Rights Reserved. International Copyright Secured.

Verse 1

B♭   F C   Dm
I hear your voice, it's like an angel sighing,
B♭   F   C
I have no choice, I hear your voice,

Feels like flying.

B♭   F C   Dm
I close my eyes, oh God I think I'm falling.
B♭   F   C
Out of the sky, I close my eyes,

Heaven help me.

Chorus 2

F   C
When you call my name it's like a little prayer,
B♭   F/A   F/D Gm/D F
I'm down on my knees, I wanna take you there.
          C
In the midnight hour I can feel your power,
B♭   F/A   F/D Gm/D B♭
Just like a prayer   you know I'll take you there.

Verse 2

        F C   Dm
Like a child you whisper softly to me,
B♭   F   C
You're in con - trol just like a child,

Now I'm dancing.

B♭   F C   Dm
It's like a dream, no end and no beginning,
B♭   F   C
You're here with me, it's like a dream,

Let the choir sing:

Chorus 3

F   C
When you call my name it's like a little prayer,
B♭   F/A   F/D Gm/D F
I'm down on my knees, I wanna take you there.
          C
In the midnight hour I can feel your power,
B♭   F/A   F/D Gm/D F
Just like a prayer   you know I'll take you there.

Chorus 4

F   **C**
  When you call my name it's like a little prayer,

B♭   **F/A**   **F/D Gm/D F**
I'm down on my knees, I wanna take you there.

        C
In the midnight hour I can feel your power,

B♭   **F/A**   **F/D Gm/D Dm**
Just like a prayer you know I'll take you there.

Link 2

(Dm) **C/D Gm/D**
     Ah,

Dm   **C/D Gm/D**
Ah,   ah,

Bridge 1

Dm   **C/D Gm/D Dm**   **C/D Gm/D Dm**
Life is a mys - te - ry, everyone must stand a - lone,

      C/E B♭ F/A
I hear you call my name

B♭ **F/C C Dm**
And it feels like home.

Bridge 2

(Dm)   **C/D**   **Gm/D**
  Just like a prayer, your voice can take me there.

Dm   **C/D**   **Gm/D**
  Just like muse to me, you are a mystery.

Dm   **C/E**   **B♭**   **F/A**
  Just like a dream, you are not what you seem.

  B♭   **F/C**   **C**   **F**
Just like a prayer, no choice, your voice can take me there.

Chorus 5

 (F)   **C**
‖: Just like a prayer, I'll take you there,

B♭   **F/A Dm C**
 It's like a dream to me   :‖ *Play 4 times*

| *Interlude* | ‖: N.C. | N.C. | N.C. | N.C. :‖ |

| Dm | Dm | Dm | Dm |

| Dm | C/E B♭ | F/A B♭ | F/C C ‖

Bridge 3

Dm   C/D   Gm/D
Just like a prayer,   your voice can take me there.

Dm   C/D   Gm/D
Just like muse to me,   you are a mystery.

Dm   C/E   B♭   F/A
Just like a dream,   you are not what you seem.

    B♭   F/C   C   F
Just like a prayer, no choice, your voice can take me there.

Chorus 6

 (F)   C   B♭
‖: Just like a prayer, I'll take you there,

            F/A   Dm   C
It's like a dream to me.   :‖ *Repeat to fade*

I'm With You

Words & Music by Avril Lavigne, Lauren Christy,
Scott Spock & Graham Edwards

Tune bottom string to D

Intro ‖: A5 B5 | D5 | A5 B5 | D5   :‖

Verse 1

      F#5
I'm standing on the bridge,
     D5
I'm waiting in the dark,
   F#5   **D5**
I thought that you'd be here by now.
       F#5
There's nothing but the rain,
    D5
No footsteps on the ground,
   F#5   **D5**
I'm listening but there's no sound.
E   **Dsus2**
  Isn't anyone trying to find me,
E   **Dsus2**
  Won't somebody come take me home?

© Copyright 2002 WB Music Corporation, USA/Almo Music Corporation, USA/
Warner-Tamerlane Publishing Corporation, USA/Rainbow Fish Publishing/Mr. Spock Music/
Ferry Hill Songs, USA/Union Musical Ediciones S.L.
Rondor Music (London) Limited (25%)/Warner/Chappell Music Limited (75%).
All Rights Reserved. International Copyright Secured.

Chorus 1

        Asus² Bsus⁴ Dsus²
It's a damn cold   night,

                Asus² Bsus⁴ Dsus²
Trying to figure out   this   life.

       Asus²   **Bsus⁴**
Won't you   take me by the hand,

    Dsus²
Take me somewhere new.

       F♯m¹¹   **E**
I don't know who you are,

     Dsus²   **F♯5** | **D5** |
But I, I'm with you.

      F♯5 | **D5** |
I'm with you.

Verse 2

   F♯5
I'm looking for a place,

   D5
I'm searching for a face,

   F♯5   **D5**
Is anybody here I know?

     F♯5
'Cause nothing's going right,

   D5
And everything's a mess,

   F♯5   **D5**
And no-one likes to be alone.

E   **Dsus²**
  Isn't anyone trying to find me,

E   **Dsus²**
  Won't somebody come take me home?

Chorus 2   As Chorus 1

Middle

E   **Bm⁷**
  Why is everything so con - fusing,

E   **Bm⁷**
  Maybe I'm just out of my mind,

    E   **Dsus²**   **C♯m⁷** | **E**
Yeah, yeah, yeah, yeah, yeah yeah, yeah, yeah, yeah, yeah.

Chorus 3

A⁵ B⁵ D⁵
It's a damn cold night,

                  A⁵ B⁵ D⁵
Trying to figure out this life.

            A⁵   **B⁵**
Won't you   take me by the hand,

      D⁵
Take me somewhere new.

        F♯m¹¹   **E**
I don't know who you are,

        Dsus² | **Asus²**   **Bsus⁴** |
But I, I'm with you._____

Dsus²   **Asus² Bsus⁴** | **Dsus²** |
I'm with you._____

Asus²   **Bsus⁴**
    Take my by the hand,

              Dsus²
Take me somewhere new.

        F♯m¹¹   **E**
I don't know who you are,

        Dsus² | **Asus²**   **Bsus⁴** |
But I, I'm with you._____

Dsus²   **Asus² Bsus⁴** | **Dsus²** |
I'm with you._____

Asus²   **Bsus⁴**
    Take my by the hand,

              Dsus⁴
Take me somewhere new.

        F♯m¹¹   **E**
I don't know who you are,

        Dsus²   **F♯⁵**
But I, I'm with you.

D⁵   **F♯⁵**
    I'm with you.

D⁵   **A⁵**
    I'm with you.

Linger

Words by Dolores O'Riordan
Music by Dolores O'Riordan & Noel Hogan

Intro ‖: **Dsus4** | **D** | **Dsus4** | **D** :‖ **Dsus4** ‖

| **A6** **A** | **A6** | **C Cmaj7** | **C Cmaj7** | **G** | **G**

Verse 1
    D
If you, if you could return,

    A6
Don't let it burn, don't let it fade.

    C
I'm sure I'm not being rude,

But it's just your attitude,

    G
It's tearing me apart,

It's ruining ev'rything.

Verse 2
    D
I swore, I swore I would be true,

    A6
And honey, so did you,

    C
So why were you holding her hand?

Is that the way we stand?

    G
Were you lying all the time?

Was it just a game to you?

© Copyright 1992 Island Music Limited.
Universal/Island Music Limited.
All Rights Reserved. International Copyright Secured.

Chorus 1

          D
But I'm in so deep,

                A6
You know I'm such a fool for you,

                     C   **Cmaj7**
You got me wrapped around your finger, ah, ah, ha.

C   **G**
  Do you have to let it linger?

Do you have to, do you have to,

           D
Do you have to let it linger?

Middle

         A6
Oh, I thought the world of you,

       C   **Cmaj7**   **C**
I thought nothing could go wrong,

Cmaj7   **G**
But I was wrong, I was wrong.

Verse 3

         D
If you, if you could get by

         A6
Trying not to lie,

                   C
Things wouldn't get so confused,

And I wouldn't feel so used,

              G
But you always really knew

I just wanna be with you.

Chorus 2

         D
But I'm in so deep,

                A6
You know I'm such a fool for you,

                     C   **Cmaj7**
You got me wrapped around your finger, ah, ah, ha.

C   **G**
  Do you have to let it linger?

Do you have to, do you have to,

           D
Do you have to let it linger?

Solo
   | **D** | **D** | **A6** | **A6** | **C** **Cmaj7** | **C** **Cmaj7** | **G**

Chorus 3   **D**
But I'm in so deep,

           A6
You know I'm such a fool for you,

                   C   **Cmaj7**
You got me wrapped around your finger, ah, ah, ha.

C   **G**
  Do you have to let it linger?

Do you have to, do you have to,

         D
Do you have to let it linger?

          A6
Chorus 4   You know I'm such a fool for you,

                   C   **Cmaj7**
You got me wrapped around your finger, ah, ah, ha.

C   **G**
  Do you have to let it linger?

Do you have to, do you have to,

         D
Do you have to let it linger?

Instrumental | **D** | **D** | **A6** | **A6** |

            | **C Cmaj7** | **C Cmaj7** | **G** | **G** |

            | **D** | **D Dsus4** | **D** | **D Dsus4** |

            | **D** | **D Dsus4** | **D**   ‖

Lovefool

Words & Music by
Peter Svensson & Nina Persson

Intro
| **Am** | **Am** |

Verse 1

Am   **Dm**
Dear, I fear we're facing a problem,

G   **C**
You love me no longer,

  Cmaj⁷   **Am**   **Dm**   **G**
I know and maybe there is nothing I can do,

               C   **Cmaj⁷**
To make you do.

Am   **Dm**
Mama tells me I ___ shouldn't bother,

G   **C**   **Cmaj⁷** **Am**
That I ought to stick to another man,

           Dm
A man that surely deserves me,

G   **C**   **C♯dim**
  I think you do.

Dm   **D♯dim**   **E⁷**
So I cry and I pray and I beg.

Chorus 1

Amaj⁷   **Dmaj⁷**
Love me, love me,

  Bm⁷   **E¹³**
Say that you love me.

Amaj⁷   **Dmaj⁷**
Fool me, fool me,

  Bm⁷   **E¹³**
Go on and fool me.

© Copyright 1996 Stockholm Songs, Sweden.
Universal Music Publishing Limited.
All Rights Reserved. International Copyright Secured.

cont.

Amaj7   **Dmaj7**
Love me, love me,

    Bm7   **E13**
Pretend that you love me.

Amaj7   **Dmaj7**
Leave me, leave me.

    Bm7   **E13**
Just say that you need me.

F♯m   **Bm7 E13**   **Amaj7**
  So I cry   and I beg for you to

Amaj7   **Dmaj7**
Love me, love me,

  Bm7   **E13**
Say that you love me,

Amaj7   **Dmaj7**
Leave me, leave me.

    Bm7   **E13**
Just say that you need me,

A   **Dm**   **Eaug**   **Am**
I can't care about anything but you.

Verse 2

Am   **Dm**
Lately I have desperately pondered,

G   **C**
Spent my nights awake and I wonder,

 Cmaj7   **Am**   **Dm**   **G**
What I could have done in another way

      C   **Cmaj7**
To make you stay.

Am   **Dm**
Reason will not reach a solution,

G   **C**   **Cmaj7** **Am**
I will end up lost in confusion,

      Dm
I don't care if you really care

G   **C**   **C♯dim**
As long as you don't go,

Dm **D♯dim**   **E7**
So I cry and I pray and I beg.

Chorus 2

Amaj⁷　　　**Dmaj⁷**
Love me, love me,

Bm⁷　　　**E¹³**
Say that you love me.

Amaj⁷　　　**Dmaj⁷**
Fool me, fool me,

Bm⁷　　**E¹³**
Go on and fool me.

Amaj⁷　　　**Dmaj⁷**
Love me, love me,

　　　Bm⁷　　　**E¹³**
I know that you need me.

Amaj⁷　　　**Dmaj⁷**
Leave me, leave me.

　　　Bm⁷　　　**E¹³**
Just say that you need me.

F♯m　　**Bm⁷ E¹³**　　**Amaj⁷**
　So I cry　　and I beg for you to

Amaj⁷　　　**Dmaj⁷**
Love me, love me,

　Bm⁷　　　**E¹³**
Say that you love me,

Amaj⁷　　　**Dmaj⁷**
Leave me, leave me.

　　　Bm⁷　　　**E¹³**
Just say that you need me,

A　　**Dm**　　　**Eaug**　　　　**Amaj⁷**　　**Dmaj⁷**
I don't care about anything but you,

Bm⁷　A　　　　**Amaj⁷ Dmaj⁷** │ **Bm⁷　E¹³** │
Any - thing but you.

Chorus 3

Amaj⁷　　　**Dmaj⁷**
Love me, love me,

Bm⁷　　　**E¹³**
Say that you love me.

Amaj⁷　　　**Dmaj⁷**
Fool me, fool me,

Bm⁷　　**E¹³**
Go on and fool me.

Amaj⁷　　　**Dmaj⁷**
Love me, love me,

　　　Bm⁷　　　**E¹³**
Pretend that you love me.

A　　**Dm**　　　**Eaug**　　　**Am**
I can't care about anything but you.

Maps

Words & Music by
Karen O, Nicholas Zinner & Brian Chase

Intro

| D | D | D | D |

| D | D | D | D ‖

Verse 1

      B   G
Pack up, I'm straight,

    B   D
I'm not, oh say, say, say

   B
Oh say, say, say

   G
Oh say, say, say

   E
Oh say, say, say,

   G
Oh say, say, say.

Chorus 1

C5   G5
Wait, they don't love you like I love you,

E5   G5
Wait, they don't love you like I love you,

C5   B5
Ma - a - a - a - a - a - a - a - a - a - a - ps,

D5   G5
Wait, they don't love you like I love you.

© Copyright 2003 Chrysalis Music Limited.
All Rights Reserved. International Copyright Secured.

Link 1 | B   A | G | E   D | G   ‖

Verse 2

B **G**
Made off, don't stray,

B
Well my kind's your kind

D
I'll stay the same.

B **G**
Pack up, don't stray

E
Oh say, say, say,

G
Oh say, say, say.

Chorus 2

C5   **G5**
Wait, they don't love you like I love you,

E5   **G5**
Wait, they don't love you like I love you,

C5   **B5**
Ma - a - a - a - a - a - a - a - a - a - a - ps,

D5   **G5**
Wait, they don't love you like I love you,

C5   **G5**
Wait, they don't love you like I love you,

E5   **G5**
Ma - a - a - a - a - a - a - a - a - a - a - ps.

C5   **B5**   **D5 G5**
Wait, they don't love you like I love you.

Solo		C5		G5 A5	C5		G5 A5	

Solo	C5	G5 A5	C5	G5 A5
	C5	G5 A5	C5	B5 G5
	C5	A5 D5	G5	G5 D5
	C5	A5 D5	G5	G5 D5

Chorus 3

C5   G5
Wait, they don't love you like I love you,
E5   G5
Wait, they don't love you like I love you,
C5   B5
Ma - a - a - a - a - a - a - a - a - a - a - a - ps,
D5   G5
Wait, they don't love you like I love you.
C5   G5
Wait, they don't love you like I love you,
E5   G5
Ma - a - a - a - a - a - a - a - a - a - a - a - ps.
C5   B5   D5 G5
Wait, they don't love you like I love you.

Outro	C5	G5 A5	C5	G5 A5
	C5	G5 A5	C5	B5 A5 G5

Missing

Words by Tracey Thorn
Music by Ben Watt

Verse 1

Am   A9(no3) Am9 A9(no3)
  I step off the   train

  Am   A9(no3) Am9   A9(no3)
I'm walking down your   street again

Am   A9(no3) Am9   A9(no3)
  And past your   door

  Am   A9(no3) Am9   A9(no3)
But you don't live there any more.

  Am   A9(no3) Am9 A9(no3)
It's years since you've been   there,

Am A9(no3)   Am9   A9(no3) Am   A9(no3)
   And now you've disappeared some - where

    Am9   A9(no3) Am   A9(no3) Am9
Like outer space,   you've found some better place.

Chorus 2

A9(no3)   Am9 Fmaj9
And I miss you,

          G   Dm9
(Like the deserts miss the rain)

         Am9 Fmaj9
And I miss you   oh,

      Am9   Dm9
(Like the deserts miss the rain).

© Copyright 1994 Sony/ATV Music Publishing (UK) Limited.
All Rights Reserved. International Copyright Secured.

Verse 2

Gsus4/A

Could you be dead?

You always were two steps ahead

F/A
Of everyone,

Fadd11/A
We'd walk behind while you would run.

Gsus4/A
I look up at your house

F/A
And I can almost hear you shout

Down to me

Fadd11/A
Where I always used to be.

Chorus 2

Am9   Fmaj9
And I miss you,

G   Dm9
(Like the deserts miss the rain)

Am9   Fmaj9
And I miss you   oh,

Am9   Dm9
(Like the deserts miss the rain).

Verse 3

Gsus4/A
I'm back on the train,

I ask why did I come again?

F/A   **Fadd11/A**
Can I confess I've been hanging around your old address.

Gsus4/A
And the years have proved

F/A
To offer nothing sinceyou moved,

You're long gone,

Fadd11/A
But I can't move on

Chorus 3   As Chorus 2

Verse 4
    Am
    I step off the train
    Asus²
I'm walking down your street again
Asus⁴
    And past your door
      Asus²
I guess you don't live there any more.
      Am
It's years since you've been there,
Asus⁴   **Am**
    And now you've disappeared some - where
            Asus²
Like outer space,   you've found some better place.

Link
         Am **Asus²**
And I miss you, yeah.
         Am
And I miss you.
Asus²
    You found some better place

Outro
         Am⁹ **Fmaj⁹**
𝄆 And I miss you,
        G   **Dm⁹**
(Like the deserts miss the rain)
        Am⁹ **Fmaj⁹**
And I miss you   oh,
      Am⁹   **Dm⁹**
(Like the deserts miss the rain). 𝄇 *Repeat to fade*

A New England

Words & Music by
Billy Bragg

Intro

| C | C | C | C | |
| C | C | C G/C | G/C | |
| F/C C | C | ‖

Verse 1

        C
I was twenty-one years when I wrote this song,
  G   Am
I'm twenty-two now but I won't be for long.
F   C/E
People ask me, "When will I grow up to understand
           G   Fmaj7   C
Why the girls I knew at school are already pushing prams?"

Verse 2

        C
I loved you then as I love you still,
        G   Am
'Though I put you on a pedestal, you put me on the pill.
  F   C/E
I don't feel bad about letting you go,
  G   Fmaj7   Fmaj7sus2
I just feel sad about letting you know.

© Copyright 1983 BMG Music Publishing Limited.
All Rights Reserved. International Copyright Secured.

Chorus 1

F   C
I don't want to change the world,

                   C/B   Am
I'm not looking for a new England,

              F   E   G
Are you looking for another girl?

F   C
I don't want to change the world,

                   C/B   Am
I'm not looking for a new England,

             F   C G/C
Are you looking for another girl?

| G/C | | F/C C | C | ‖

Verse 3

C
I loved the words you wrote to me

          G   Am
But that was bloody yesterday.

F   C/E
I can't survive on what you send

G   Fmaj7   C
Every time you need a friend.

Verse 4

C
I saw two shooting stars last night,

G   Am
I wished on them but they were only satellites.

          F   C/E
It's wrong to wish on space hardware,

       G   Fmaj7   Fmaj7sus2
I wish, I wish, I wish you'd care.

Chorus 2

F   C
I don't want to change the world,

                   C/B   Am
I'm not looking for a new England,

              F   E   G
Are you looking for another girl?___

F   C
I don't want to change the world,

                   C/B   Am
I'm not looking for a new England,

              F   B♭
Are you looking for another girl?

Instrumental ‖: (B♭) | E♭ | B♭ | E♭ :‖ *Play 3 times*

| B♭/D | B♭/D ‖

Verse 5

    D
My dreams were full of strange ideas,

   A   **Bm**
My mind was set despite my fears.

   G   **D/F♯**
But other things got in the way,

   A   **Gadd9** **D**
I never asked that boy to stay.

Verse 6

   D
Once upon a time at home

  A   **Bm**
I sat beside the telephone,

G   **D/F♯**
Waiting for someone to pull me through,

      A   **G**   **Gadd9**
When at last it didn't ring I knew it wasn't you.

Chorus 3

G   **D**
 I don't want to change the world,

        D/C♯   **Bm**
I'm not looking for a new England,

     G   **F♯** **A**
Are you looking for another girl?

G   **D**
 I don't want to change the world,

        D/C♯   **Bm**
I'm not looking for a new England,

     G
Are you looking for another?

Gadd9   **D**
 I don't want to change the world,

        D/C♯   **Bm**
I'm not looking for a new England,

     G   **D**
Are you looking for another girl?

G   **D**
 Looking for another girl?

G   **D**
 Looking for another girl?

G   **D G D G**
 Looking for another girl?_____

‖: **D** **G**   **D**   **G**
  Girl?____   :‖   *Repeat to fade*

No Ordinary Love

Words & Music by
Adu & Matthewman

Intro

| Bm | F#7sus4 | Gmaj7 | Gmaj13 |

| Gmaj7 | F#m11 | Bm7 | Bm7 ‖

Verse 1

Bm
I gave you all the love I got,
F#7sus4
I gave you more than I could give,
Gmaj7   **Gmaj13**
   I gave you love.
              Gmaj7
I gave you all that I have inside,
        F#m11
And you took my love,
     Bm7   **Bm7**
You took   my love.
        Bm
Didn't I tell you
              F#7sus4
What I be - lieve?
                Gmaj7
Did somebody say that
     Gmaj13
A love like that won't last?
           Gmaj7
Didn't I give you
              F#m11   **Bm7**   **Bm7**
All that I've got to give, ba - by?

© Copyright 1992 Angel Music Limited.
Sony Music Publishing (UK) Limited.
All Rights Reserved. International Copyright Secured.

Verse 2
          Bm
I gave you all the love I got,
       F#7sus4
I gave you more than I could give,
Gmaj7   **Gmaj13**
   I gave you love.
        Gmaj7
I gave you all that I have inside,
      F#m11
And you took my love,
     Bm7
You took   my love.

Pre-chorus 1
      Bm   **F#7sus4**
I keep crying,
       Gmaj7   **Gmaj13**
I keep trying for you,
        Gmaj7   **F#m11**   **Bm7**   **Bm7**
There's nothing like you and I ba - by.

Chorus 1
       Bm
This is no ordinary love,
F#7sus4   **Gmaj7** **Gmaj13**
   No ordinary love.
        Gmaj7
This is no ordinary love,
F#m11   **Bm7**   **Bm7**
   No ordinary love.

Verse 3
Gmaj7   **F#m11**
When you came my way
   Bm7
You brightened every day
    Gmaj7   **F#m11** **Bm7**
With your sweet smile.
    Bm
Didn't I tell you
   F#7sus4
What I be - lieve?
    Gmaj7
Did somebody say that
   Gmaj13
A love like that won't last?
    Gmaj7
Didn't I give you
     F#m11   **Bm7**   **Bm7**
All that I've got to give, ba - by?

Chorus 2

Bm
This is no ordinary love,

F♯7sus4   **Gmaj7 Gmaj13**
No ordinary love.

Gmaj7
This is no ordinary love,

F♯m11   **Bm7 Bm7**
No ordinary love.

Instrumental 1 | **Gmaj7** | **F♯m11** | **Bm7** | **Bm7** |

| **Gmaj7** | **F♯m11** | **Bm7** | **Bm7** ‖

Pre-chorus 2

Bm   **F♯7sus4**
I keep crying,

Gmaj7   **Gmaj13**
I keep trying for you.

Gmaj7   **F♯m11**   **Bm7 Bm7**
There's nothing like you and I ba - by.

Chorus 3

Bm
This is no ordinary love,

F♯7sus4   **Gmaj7 Gmaj13**
No ordinary love.

Gmaj7
This is no ordinary love,

F♯m11   **Bm7 Bm7**
No ordinary love.

Instrumental 2 | **Gmaj7** | **F♯m11** | **Bm7** | **Bm7** |

| **Gmaj7** | **F♯m11** | **Bm7** | **Bm7** ‖

Outro

Gmaj7
Keep trying for you,

F♯m11
Keep crying for you,

Bm7
Keep flying for you,

Bm7
Keep flying, I'm falling.

cont. | Gmaj7 | F#m11 | Bm7 | Bm7 |

| Gmaj7 | F#m11 | Bm7 | Bm7 ‖

                    Gmaj7 F#m11 Bm7
And I'm falling—

Gmaj7
  Keep trying for you,
F#m11
  Keep crying for you,
Bm7
  Keep flying for you,
Bm7
  Keep flying, I'm falling...

| Gmaj7 | F#m11 | Bm7 | Bm7 |

                    Gmaj7 | F#m11 | Bm7 | Bm7 |
And I'm falling.—

Outro   ‖: Gmaj7 | F#m11 | Bm7 | Bm7 :‖ *To fade*

Nothing Compares 2 U

Words & Music by
Prince

Intro | F | F |

Verse 1

F   C/E
It's been seven hours and fifteen days

Dm7   F   Gm/C
Since U took your love away.

F   C/E
I go out every night and sleep all day

Dm7   F   Gm/C
Since U took your love away.

F   C/E
Since U been gone I can do whatever I want,

Dm7   F   Gm/C
I can see whomever I choose.

Chorus 1

F   C/E
I can eat my dinner in a fancy restaurant

      Dm7
But nothing,

                A7
I said nothing can take away these blues,

       E♭   B♭
'Cause nothing compares,

E♭   B♭   C
Nothing compares 2 U. ____

Verse 2

F   C/E
It's been so lonely without U here

Dm7   F   Gm/C
Like a bird without a song.

F   C/E
Nothing can stop these lonely tears from falling,

        Dm7   B♭
Tell me baby where did I go wrong?

© Copyright 1985 Controversy Music, USA.
Universal/MCA Music Limited.
All Rights Reserved. International Copyright Secured.

cont.

F

I could put my arms

C/E

Around every boy I see

Dm⁷   **F**   **Gm/C**

But they'd only remind me of U.

Chorus 2

F   **C/E**

I went 2 the doctor guess what he told me

Guess what he told me?

Dm⁷

He said "Girl U better try 2 have fun

A⁷

No matter what U do."

But he's a fool

E♭   **B♭**

'Cause nothing compares

Dm⁷   **C**

Nothing compares 2 U.

Instrumental   ‖: **F** | **C/E** | **Dm⁷** | **F**   **Gm/C** :‖

Verse 3

F

All the flowers that U planted, mama

C/E

In the back yard,

Dm⁷   **F**   **Gm/C**

All died when U went away.

Chorus 3

F   **C/E**

I know that living with U, baby, was sometimes hard

Dm⁷   **A⁷**

But I'm willing 2 give it another try.

E♭   **B♭**

‖: Nothing compares,

Dm⁷   **C**   *x3*

Nothing compares 2 U.   :‖

Outro   ‖: **E♭**   **B♭** | **Dm⁷**   **C** | **C**   :‖   *Repeat to fade*

Only Happy When It Rains

Words & Music by
Shirley Manson, Steve Marker,
Duke Erikson & Butch Vig

Verse 1

N.C.   G#m
I'm only happy when it rains,

F#   E
  I'm only happy when it's complicated,

C#m   E
  And though I know you can't ap - preciate it,

F#   G#m
  I'm only happy when it rains.

F#   E
  You know I love it when the news is bad,

C#m   E
  Or why it feels so good to feel so sad

F#   B
  I'm only happy when it rains.

Chorus 1

C#   G#m
  Pour your misery down,

A   B   C#
  Pour your misery down on me.

         G#m
Pour your misery down,

A   B   F#
  Pour your misery down on me.

© Copyright 1995 Vibecrusher Music/Irving Music Incorporated/Deadarm Music, USA.
Rondor Music (London) Limited.
All Rights Reserved. International Copyright Secured.

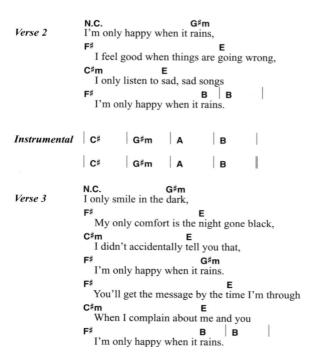

Verse 2

N.C.   G♯m
I'm only happy when it rains,
F♯   E
I feel good when things are going wrong,
C♯m   E
I only listen to sad, sad songs
F♯   B   B
I'm only happy when it rains.

Instrumental | C♯ | G♯m | A | B |
| C♯ | G♯m | A | B ‖

Verse 3

N.C.   G♯m
I only smile in the dark,
F♯   E
My only comfort is the night gone black,
C♯m   E
I didn't accidentally tell you that,
F♯   G♯m
I'm only happy when it rains.
F♯   E
You'll get the message by the time I'm through
C♯m   E
When I complain about me and you
F♯   B   B
I'm only happy when it rains.

Chorus 2	**C♯** **G♯m** Pour your misery down,
	A **B** Pour your misery down on me.
	C♯ **G♯m** Pour your misery down,
	A **B** Pour your misery down on me.
	C♯ **G♯m** Pour your misery down,
	A **B** Pour your misery down on me.
	C♯ **G♯m** Pour your misery down
	A You can keep me company,
	B **F♯** As long as you don't care.

Verse 4	**N.C.** **G♯m** I'm only happy when it rains,
	F♯ **E** You'll wanna hear about my new obsession,
	C♯m **E** I'm riding high upon a deep depression,
	F♯ **G♯m** I'm only happy when it rains.

Outro	**E** **C♯m** ‖: (Pour some misery down on me,)
	G♯m I'm only happy when it rains :‖ *repeat ad lib. to fad*

Rhiannon

Words & Music by
Stevie Nicks

Intro

| Am | Am | F | F |
| Am | Am | F | F ‖

Verse 1

    Am
Rhi - annon rings like a bell through the night
F
And wouldn't you love to love her,
Am
  Takes to the sky like a bird in flight
   F
And who will be her lover?

Chorus 1

C
  All your life you've never seen
   F
Wo - man taken by the wind.
C
  Would you stay if she promised you Heaven,
F
  Will you ever win?

Verse 2

Am
  She is like a cat in the dark,
   F
And then she is the darkness.
Am
  She rules her life like a fine skylark
   F
And when the sky is starless.

© Copyright 1975 Welsh Witch Music, USA.
Sony/ATV Music Publishing (UK) Limited.
All Rights Reserved. International Copyright Secured.

Chorus 2

C
   All your life you've never seen

    F
Wo - man taken by the wind.

C
   Would you stay if she promised you Heaven,

F
   Will you ever win,

F
   Will you ever win?

Bridge

Am | Am F |Am
            Rhiannon,

   F   Am
Rhian - non,

   F   Am
Rhian - non,

   F
Rhiannon.

Verse 3

Am
   She rings like a bell through the night

   F
And wouldn't you love to love her,

Am
   She rules her life like a bird in flight

   F
And who will be her lover?

Chorus 3

C
   All your life you've never seen

   F
Wo - man taken by the wind.

C
   Would you stay if she promised you Heaven,

F
   Will you ever win,

F
   Will you ever win?

| F | F |

Bridge 2

```
        Am        | Am   F | Am
                    Rhiannon,
```

```
          F   Am
Rhian - non,
```

```
          F   Am
Rhian - non,
```

```
F                         Am
Taken by, taken by the sky,
```

```
F                         Am
Taken by, taken by the sky.
```

```
F                         Am
Taken by, taken by the sky.
```

```
| F        | F        |
```

Guitar solo

```
‖: Am    | Am    | F      | F       |
```

```
| Am    | Am    | F      | F       :‖
```

Outro

```
  Am
‖: Dreams unwind,
```

```
                        F
Love's a state of mind...  :‖  Repeat to fade
```

Perfect

Words & Music by
Mark E. Nevin

Verse 1

N.C.   (G)   (D)
I don't want half-hearted love affairs,
          (G)   (D)
I need someone who really cares.
          (G)   (Bm)
Life is too short to play silly games,
         (G) (A)   D   G   A   D
I've promised myself   I won't do that again.

Chorus 1

     D7   G   A D   G   D
It's got to be ___   perfect,
     D7   G   A D   G   D
It's got to be ___   worth it, yeah.
     D7   G   F#
Too many people take second best
   Bm   A   G
But I won't take anything less
         G   A   G   D
It's got to be, yeah, per - fect.

Verse 2

N.C.   (G)   (D)
Young hearts are foolish, they make such mistakes;
            (G)   (D)
They're much too eager to give their love away.
           (G)   (Bm)
Well I have been   foolish too many times
         (G)   (A)   D   G   A   D
Now I'm determined   I'm gonna get it right.

© Copyright 1988 MCA Music Limited.
Universal/MCA Music Limited.
All Rights Reserved. International Copyright Secured.

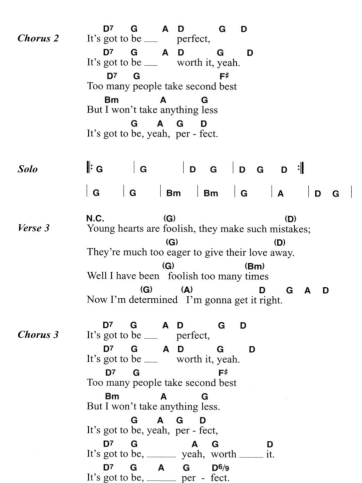

Chorus 2

D⁷   G   A D   G   D
It's got to be ___ perfect,

D⁷   G   A D   G   D
It's got to be ___ worth it, yeah.

  D⁷   G   F♯
Too many people take second best

  Bm   A   G
But I won't take anything less

          G   A   G   D
It's got to be, yeah, per - fect.

Solo

‖: G | G | D G | D G   D :‖

| G | G | Bm | Bm | G | A | D G |

Verse 3

N.C.   (G)   (D)
Young hearts are foolish, they make such mistakes;

               (G)   (D)
They're much too eager to give their love away.

            (G)   (Bm)
Well I have been foolish too many times

        (G)   (A)   D   G A D
Now I'm determined I'm gonna get it right.

Chorus 3

D⁷   G   A D   G   D
It's got to be ___ perfect,

D⁷   G   A D   G   D
It's got to be ___ worth it, yeah.

D⁷   G   F♯
Too many people take second best

  Bm   A   G
But I won't take anything less.

        G   A   G   D
It's got to be, yeah, per - fect,

D⁷   G   A   G   D
It's got to be, _____ yeah, worth _____ it.

D⁷   G   A   G   D⁶ᐟ⁹
It's got to be, _____ per - fect.

Rush Hour

Words & Music by
Jane Wiedlin & Peter Rafelson

Intro ‖: E | E | E :‖

‖: E | C#m | Bsus4 B | Asus2 :‖

Verse 1

Eadd9   C#m
  Something's coming over me, I'm so dizzy I can't see;

G#m   A   Bsus4 B
Can't make out the forest for the trees.

Eadd9   C#m
  My heart is beating faster now   as the traffic's slowing down

G#m   A   Bsus4 B
  Suddenly I'm all alone with you.

Pre-chorus 1

          A   B   A
  It's so good, and baby when you're at the wheel,

    E/G#   B   A/C#
I can't believe the way I feel,

        Bsus4   Asus2
It's such a rush just being with you.

        A/C#   B/D#   Esus4 E
We're driving in the rush hour. _____

Chorus 1

C#m   Bsus4 B
Ooh, you send me: _____

        Asus2   Esus4 E
You take me to the rush hour. _____

C#m   Bsus4 B
Ooh, you send me: _____

        Asus2
You got me in the rush hour.

Verse 2

Eadd9   C#m
  Feel it getting hot in here,

  Feel me getting close to you, dear.

G#m   A   Bsus4 B
  Slow motion, moving you, moving me

© Copyright 1988 I Before E Music Company/Rafelson Music.
BMG Music Publishing Limited (50%)/Palan Music Publishing Limited (50%).
All Rights Reserved. International Copyright Secured.

cont.

Eadd⁹   **C♯m**
Now your lips are touching mine,

And in your eyes that certain shine,

G♯m   **A**   **Bsus⁴** **B**
Honey, I know just where you're taking me. _____

Pre-chorus 2   As Pre-chorus 1

Chorus 2   As Chorus 1

Guitar solo ‖: E | E | C♯m | C♯m |

               | G♯m | G♯m A | Bsus⁴ | B   :‖

Pre-chorus 3
               A   **B**   **A**
Oh it's so good, and baby when you're at the wheel,

E/G♯   **B**   **A/C♯**
I can't believe the way I feel,

           Bsus⁴   **Asus²**
It's such a rush just being with you.

           A/C♯   **B/D♯**   **Esus⁴** **E**
We're driving in the rush hour. _____

Chorus 3   As Chorus 1

Link | E | E | E | E   ‖

Coda
Esus⁴ E **C♯m**   **Bsus⁴ B Asus²**
Ooh, you send me, _____

Esus⁴ E **C♯m**   **Bsus⁴ B**
Ooh, you send me, _____

    Asus²   **Esus⁴ E**
You got me in the rush hour. _____

C♯m   **Bsus⁴ B**
Ooh, you send me, _____

    Asus²   **Esus⁴ E**
We're driving in the rush hour. _____

C♯m   **Bsus⁴ B**   **Asus²**   **Esus⁴ E**
Ooh, you send me, _____ you got me, you got me.

C♯m   **Bsus⁴ B**
Ooh, you send me, _____

    Asus²   **Esus⁴ E**
We're driving in the rush hour. _____

C♯m   **Bsus⁴ B** | Asus² | Esus⁴ E |
Ooh, you send me, _____

C♯m   **Bsus⁴ B**
Ooh, you send me. _____ *Fade out*

Single Girl

Words & Music by
Emma Anderson

Intro

| E | E | E | E |

| A | E | C | G |

| A | E | C | G |

Chorus 1

A   **D**
Single girl, I don't wanna be a single girl,
A   **D**
Single girl, I don't wanna be a single girl.

Verse 1

Fmaj⁷   **G**   **C**   **Fmaj⁷**
   Don't want to be on my own again to - night
Fmaj⁷   **G**   **D**
   Don't want to put out the light.

Chorus 2

A   **D**
Single girl, I don't wanna be a single girl,
A   **D**
Single girl, who would wanna be a single girl?

Verse 2

Fmaj⁷   **G**   **C**   **Fmaj⁷**
   Don't wanna talk to my - self again to - night
Fmaj⁷   **G**   **D**
   Don't wanna put out the light.

Guitar solo

| A | E | C | G |

| A | E/A | C/A | G/A |

© Copyright 1995 Island Music Limited.
Universal/Island Music Limited.
All Rights Reserved. International Copyright Secured.

Bridge	**Bm** When you abandoned me
	E Well, it was Heaven sent,
	Bm When I abandoned you
	E It was what you meant.
	Bm Well, it was me that knew it
	E And it was you that went,
	D **F♯m** **E** Haven't changed our minds it was meant to be.

Ooh.

Instrumental

A	A	D	D	
A	A	D	D	
A	A	D	D	
A	A	D	D	‖

Verse 3

Fmaj7   **G**   **C**   **Fmaj7**
Don't wanna clean up your mess again to - night,
Fmaj7   **G**   **D**
Don't have to be in a fight.

Verse 4

Fmaj7   **G**   **C**   **Fmaj7**
And I can do what I want again to - night,
Fmaj7   **G**   **D**
With who I choose, it's alright.

Link

  Fmaj7
Alright,
 D
Alright,
  Fmaj7
Alright.

Outro

A   **D**
Single girl, I just wanna be a single girl.

Smile

Words & Music by
Jackie Mittoo, Lily Allen, Clement Dodd,
Iyiola Babalola & Darren Lewis

Intro   ‖: Gm | Fmaj⁷ | Gm | Fmaj⁷ :‖

Verse 1
Gm   Fmaj⁷
When you first left me I was wanting more
                                                              Fmaj⁷
But you were doing that girl next door, what ja do that for
Gm   Fmaj⁷
When you first left me I didn't know what to say
                            Gm   Fmaj⁷
I never been on my own that way, just sat by my - self all day

Pre chorus 1
Gm
   I was so lost back then
Fmaj⁷
   But with a little help from my friends
Gm   Fmaj⁷
I found a light in the tunnel at the end___
Gm
   Now you're calling me up on the phone
Fmaj⁷
   So you can have a little whine and a moan
Gm   Fmaj⁷
And it's only because you're feeling a - lone.

Chorus 1
Gm   Fmaj⁷
   At first when I see you cry___
                    Gm   Fmaj⁷
Yeah it makes me smile,___ yeah it makes my smile___
Gm   Fmaj⁷
   At worst I feel bad for a while___
                    Gm   Fmaj⁷
But then I just smile___ I go ahead and smile.___

© Copyright 2006 Copyright Control (75%)/Universal Music Publishing Limited (25%).
All Rights Reserved. International Copyright Secured.

Verse 2

Gm   Fmaj7

When - ever you see me you say that you want me back

                Gm   Fmaj7

And I tell you it don't mean jack, no it don't mean jack

Gm   Fmaj7

I couldn't stop laughing, no I just couldn't help myself

                       Gm   Fmaj7

See you messed up my mental health, I was quite un - well.

Pre chorus 2   As Pre chorus 1

Chorus 2   As Chorus 1

Link

            Gm

La la, la la la, la la la, la la la, la la la,

Fmaj7

la la la, la la la, la la la, la la la,

Gm   Fmaj7

La la la, la la la, la la la, la la la, la.___

Chorus 3   As Chorus 1

Chorus 4

Gm   Fmaj7

  At first when I see you cry___

                  Gm   Fmaj7

Yeah it makes me smile,___ yeah it makes my smile___

Gm   Fmaj7

At worst I feel bad for a while___

                        Gm   Fmaj7 N.C.

But then I just smile___ I go ahead and smile.

Somebody To Love

Words & Music by
Darby Slick

Verse 1

F#m   B   E   F#m
When the truth is found   to be __ lies

           B   E   F#m
And all the joy   within you __ dies.

Chorus 1

N.C.   A   E   F#m
Don't you want somebody to love,

B   A   E   F#m
Don't you need somebody to love;

B   A   E   F#m
Wouldn't you love somebody to love,

B   E   B
You'd better find somebody to (love.)

Link 1

| F#m | B | F#m | E | F#m | F#m ||
love.

Verse 2

         F#m   B   E   F#m   E
When the garden flowers,   they are __ dead, yes,

         F#m   B   E   F#m   B
And your mind, your mind, is so full of red.

Chorus 2

E   A   E   F#m
Don't you want somebody to love,

B   A   E   F#m
Don't you need somebody to love;

B   A   E   F#m
Wouldn't you love somebody to love,

B   E   B   F#m
You'd better find somebody to love.

© Copyright 1967 Irving Music Incorporated/Copperpenny Music, USA.
Rondor Music (London) Limited.
All Rights Reserved. International Copyright Secured.

Verse 3

N.C.   E   B
Your eyes, I say your eyes may look like his, ____

       F♯m   B
Yeah, but in your head, baby,

  E   F♯m   A
I'm afraid you don't know where it is.

Chorus 3

B   A   E   F♯m
Don't you want somebody to love,

B   A   E   F♯m
Don't you need somebody to love;

B   A   E   F♯m
Wouldn't you love somebody to love,

B   E   B
You'd better find somebody to (love.)

Link 2

| F♯m | E | B | A | F♯m | F♯m ‖
love.

Verse 4

F♯m   B E   F♯m   A   E
Tears are running   all round and round your breast,

      F♯m   B   E   F♯m   A
And your friends, baby,   they treat you like a guest. ____

Chorus 4

E   A   E   B
Don't you want somebody to love,

          A   E   B
Don't you need somebody to love;

          A   E   B
Wouldn't you love somebody to love,

        E   B   F♯m   B
You'd better find somebody to love. _____

Coda

| F♯m | F♯m ‖ F♯m | B | F♯m | B |
                       Solo

| F♯m | B E | F♯m | F♯m | A E | B |

| A E | B | A E | B | A B ‖

153

Son Of A Preacher Man

Words & Music by
John Hurley & Ronnie Wilkins

Intro ‖ E | E | E | E ‖

Verse 1

E
   Billy Ray was a preacher's son
          A   E
And when his Daddy would visit he would come along.

When they'd gather round and start a-talking,
B7
   That's when Billy would take me walking;

A-through the backyard we'd go walking,

Then he'd look into my eyes, Lord knows to my surprise...

Chorus 1

      E
The only one who could ever reach me
A   E
   Was the son of a preacher man.

The only boy who could ever teach me
A   E
   Was the son of a preacher man.
               B7 A
Yes he was, he was, ooh yes he was.

Link ‖ E | E ‖

Verse 2

E
   Being good isn't always easy
A   E
   No matter how hard I tried.

© Copyright 1968 Tree Publishing Company Incorporated, USA.
Sony/ATV Music Publishing (UK) Limited.
All Rights Reserved. International Copyright Secured.

cont.

When he started sweet-talking to me,

B7
    He'd come and tell me everything is alright,

He keeps on telling me everything is alright,

Can I get away again tonight?

Chorus 2

    E
The only one who could ever reach me

A   **E**
    Was the son of a preacher man.

The only boy who could ever teach me

A   **E**
    Was the son of a preacher man.

            B7 **A**   **D**
Yes he was, he was, ooh, Lord knows he was (yes he was.)

Bridge

D   **A**
    How well I remember   the look was in his eyes,

Stealing kisses from me on the sly.

B7
    Taking time to make time,

Telling me that he's all mine;

E7
    Learning from each other's knowing,

Looking to see how much we're growing.

Chorus 3

    A
The only one who could ever reach me

D   **A**
    Was the son of a preacher man.

The only boy who could ever teach me

D   **A**
    Was the son of a preacher man.

          E7   **D7**
Yes he was, he was, ooh yes he was.

Chorus 4

As Chorus 3
With vocal ad lib.

S.O.S.

Words & Music by
Benny Andersson, Stig Anderson & Björn Ulvaeus

Intro   ‖: **Dm** | **Dm** | **Dm** | **Dm** :‖

Verse 1

Dm   **C#dim**
    Where are those happy days?

              Dm
They seem so hard to find.

            C#dim
I try to reach for you,

                   Dm
But you have closed your mind.

F   **C**
    Whatever happened to our love?

Gm   **Dm**
    I wish I understood,

               C#dim
It used to be so nice,

              Dm A/C# Dm C/E | **F Gm F C/E** ‖
It used to be so good.

Chorus 1

F   **C**
    So when you're near me,

  Gm   **B♭**
Darling can't you hear me,

    F   **B♭maj7/F**   **F** | **F**   **B♭maj7/F**   **F** |
S. _ O. S.

              C
The love you gave me,

  Gm   **B♭**
Nothing else can save me,

    F   **B♭maj7/F**   **F**
S. _ O. S.

© Copyright 1975 Union Songs AB, Sweden.
Bocu Music Limited for Great Britain and the Republic of Ireland.
All Rights Reserved. International Copyright Secured.

cont.

B♭
When you're gone,

        D♭   E♭   F
How can I __ even try to go on?

        B♭
When you're gone,

          D♭   E♭   F
Though I try, how can I __ carry on?

Verse 2

Dm   C♯dim
  You seem so far away,

             Dm
Though you are standing near.

          C♯dim
You made me feel alive,

          Dm
But something died I fear.

F   C
  I really tried to make it out,

Gm   Dm
  I wish I understood.

          C♯dim
What happened to our love,

        Dm A/C♯ Dm C/E | F Gm F C/E ‖
It used to be so good?

Chorus 2   As Chorus 1

Link | Dm/A | A7 | Dm/A | Dm/A |

           | A7 | Dm A/C♯ F C/E‖

Chorus 3   As Chorus 1

Outro

F   B♭
  When you're gone,

        D♭   E♭   F
How can I __ even try to go on?

        B♭
When you're gone,

        D♭   E♭   F
Though I try, how can I __ carry on?

| Dm | Dm | Dm   ‖

Stop Your Sobbing

Words & Music by
Ray Davies

Capo third fret

Verse 1

N.C.   Dsus²
It is time for you to stop all of your sobbing,

      Asus²   Esus⁴   E
Yes it's time for you to stop all of your sobbing, oh-oh.

       Dsus²   E
There's one thing you gotta do

       Dsus²   E
To make me still want you:

N.C.   Asus²
Gotta stop sobbing now oh, gotta stop sobbing now,

      Dsus²   Asus²   E
Yeah, yeah, stop it, stop it, stop it, stop it.

Verse 2

    N.C. Asus²   N.C.   Dsus²
It is time   for you to laugh instead of crying;

      Asus²   Esus⁴   E
Yes, it's time for you to laugh so keep on trying, oh-oh.

       Dsus²   E
There's one thing you gotta do

       Dsus²   E
To make me still want you:

N.C.   Asus²
Gotta stop sobbing now oh, gotta stop sobbing now,

      Dsus²   Asus²
Yeah, yeah, stop it, stop it, stop it, stop it.

Bridge

E   Dsus²   E
Each little tear that falls from your eyes

               Bm¹¹/F♯
Makes, makes me want to take you in my arms and tell you

          E
To stop all your sobbing.

© Copyright 1964 Edward Kassner Music Company Limited.
All Rights Reserved. International Copyright Secured.

Instrumental	Asus²	Asus²	Dsus²	Dsus²	
	Asus²	Asus²	E	E	‖

Verse 3

      Dsus²   **E**
There's one thing you gotta do
      Dsus²   **E**
To make me still want you,
        Dsus²   **E**
And there's one thing you gotta know
      Dsus²   **E**
To make me want you so.

Coda

N.C.   **Asus²**
Gotta stop sobbing now oh,

                      Dsus²
Gotta stop sobbing now, oh, yeah, yeah.
             Asus²
‖: Stop it, stop it, stop it, stop it.
             Dsus²
Gotta stop sobbing now-oh,

Gotta stop sobbing now-oh. :‖   *Repeat to fade*
                                      with vocal ad lib.

(Take A Little) Piece Of My Heart

**Words & Music by
Jerry Ragovoy & Bert Berns**

Capo first fret

Intro   ‖ D   G | A   G | D   G | A   G   ‖

Verse 1

D   G A G   D   G A G
Didn't I make you feel   like you were the only man,

D   G   A
Didn't I give you everything that a woman possibly can?

Bm
   What with all the love I give you

A
   It's never enough,

   C   A
But I'm gonna show you baby, that a woman can be tough.

                                     D
So come on, come on, come on, come on and take it:

Chorus 1

(D)   A
   Take a little piece of my heart now, baby!

D
(Break it!)

                               A
Break another little bit of my heart now, darling,

D
(Have a!)

                           A
Have another little piece of my heart now, baby,

G   D/F♯ Em D
   You know you got it if it makes you feel good.

© Copyright 1967 Web IV Music Incorporated, USA.
Sony/ATV Music Publishing (UK) Limited.
All Rights Reserved. International Copyright Secured.

Verse 2

    D   **G**   **A**
You're out on the street (looking good),

    G   **D**   **G**
And you know deep down in your heart that ain't right.

A   **G**   **D**   **G**
  And, oh, you never, never hear me when I cry at night,

A   **Bm**   **A**
  Though I, ___ I tell myself that I can't stand the pain,

      C   **A**
But when you hold me in your arms, I say it again.

                      D
So come on, come, come on, come on and take it:

Chorus 2

(D)   **A**
  Take a little piece of my heart now, baby!

D
(Break it!)

                 A
Break another little bit of my heart now, darling,

D
(Have a!)

                 A
Have another little piece of my heart now, baby,

G   **D/F♯** **Em** **D**
  You know you got it if it makes you feel good.

Outro

    (D)   **A**
‖: Take a little piece of my heart now, baby!

D
(Break it!) :‖ *Repeat to fade with vocal ad libs.*

Runaway

Words & Music by
Andrea Corr, Caroline Corr, Sharon Corr & Jim Corr

Intro $\frac{6}{8}$ **F** | **F** | **F** | **F**   ‖

Verse 1

F   **Gm** **B**♭
Say it's true,

               F   **Gm** **B**♭
There's nothing like me and you.

F   **Gm** **B**♭
I'm not alone,

       F   **Gm** **B**♭
Tell me you feel it too.

Pre-chorus 1

          Dm   **B**♭
And I would run away____

  Gm   **C**⁷
I would run away, ____ yeah, yeah.

    Dm   **B**♭
I would runaway____

   Gm   **C**⁷ **B**♭
I would runaway with you.

Chorus 1

      F   **Gm** **B**♭
'Cause I _____ have fallen in

F   **Gm** **B**♭   **F**
Love _____ with you

   Gm   **B**♭
No, never -

             F/A Gm   **B**♭ **C** **F** **Fsus⁴** **F** **Fsus**
I'm never gonna stop falling in love with you.

© Copyright 1995 Universal-Songs Of PolyGram International Incorporated/
Beacon Communications Music Company, USA.
Universal Music Publishing Limited.
All Rights Reserved. International Copyright Secured.

Verse 2

F   Gm   B♭
Close the door,

F   Gm   B♭
Lay down upon the floor____

F   Gm   B♭
And by candlelight,

F   Gm   B♭
Make love to me through the night.

Pre-chorus 2

Dm   B♭
'Cause I have run away____

Gm   C7
I have runaway, yeah, yeah.

Dm   B♭
I have runaway, runaway____

Gm   C7   B♭
I have runaway with you.

Chorus 2   As Chorus 1

Link | F | Gm | B♭ |

C   F   Gm   B♭   C
With you ____

Dm   B♭
And I would runaway____

Gm   C7
I would runaway, yeah, yeah

Dm   Gm
I would runaway____

C7   B♭
I would runaway with you.

Chorus 3

       F   **Gm** **B♭**
'Cause I_____ have fallen in

F   **Gm**   **B♭**   **F**
Love_____ with you

      Gm   **B♭**
No, never -

                F/A Gm   **B♭**
I'm never gonna stop falling in love

C   **F**   **Gm** **B♭**
With you ____

         F   **Gm** **B♭**   **F**
Falling in love _____ with you

      Gm   **B♭**
No, never -

                F/A Gm   **B♭**
I'm never gonna stop falling in love

C   **F** **G** **B♭**
With (you).

Coda

   C   **Dm** **G** **B♭**
With you ____

   C   **F**   **G** **B♭** **C** **Dm** **G** **B♭**
With you ____

   C   **F**   **G** **B♭** **C** **Dm** **G** **B♭**
With you ____

   C   **F**
With you.   *to fade*

The Time Is Now

Words & Music by
Mark Brydon & Roisin Murphy

Intro   ‖: Dm Am | Em Am :‖ F | G Em |

Verse 1

Dm   Am
You're my last breath,

Em   Am   Dm Am | Em Am |
You're a breath of fresh air to me.

Dm   Am
I am empty,

Em Am   Dm   Am | Em Am |
So tell me you'll care for me.

Dm   Am
You're the first thing

Em   Am   Dm   Am Em Am
And the last thing on my mind,

Dm   Am   Em Am
In your arms I feel,

F | G |
Sunshine.

Verse 2

Dm   Am
On a promise

Em Am   Dm   Am | Em Am |
A daydream yet to come.

Dm   Am   Em
Time is upon us,

Am   Dm   Am | Em Am |
Oh but the night is young.

© Copyright 2000 Chrysalis Music Limited.
All Rights Reserved. International Copyright Secured.

Dm   **Am**   **Em**
Flowers blossom

Am   **Dm**   **Am**   **Em**   **Am**
In the winter time.

Dm   **Am**   **Em**   **Am**
In your arms I feel

F | **G** |
Sunshine.

Chorus 1

Dm   **Am**   **Em**   **Am**
Give up your - self unto the moment,

Dm   **Am**   **Em**   **F**
The time is now.

Dm   **Am**   **Em**   **Am**
Give up your - self unto the moment,

F   **G**
Let's make this moment last.

Verse 3

Dm   **Am**   **Em**   **Am**
You may find yourself,

Dm   **Am**   **Em**   **Am**
Out on a limb for me,

Dm   **Am**   **Em**   **Am**
But you accept is as

F   **G**
Part of your destiny.

Dm   **Am**   **Em**   **Am**
I give all I have,

Dm   **Am**   **Em**   **Am**
But it's not e - nough,

Dm   **Am**   **Em**   **Am**
And my patience I tried

F   **G**
So I'm calling your bluff.

Chorus 2   As Chorus 1

Chorus 3   As Chorus 1

Middle

Dm   E
   And we gave it time,

           Am
All eyes are on the clock,

Dm   Am
   Time takes too much time,

E   Am | Dm Am
   Please make the waiting stop.

       E   Am | Dm Am
And the atmosphere is charged,

      E   Am | Dm Am
And in you I trust,

      E   Am
And I feel no fear as I

F   G
   Do as I must.

Chorus 4   As Chorus 1

Verse 4

Dm Am   Em   Am
   Tempted by fate,

Dm   Am   Em   Am
   And I won't hesi - tate,

Dm   Am   Em   Am
   The time is now,

F   G
   Let's make this moment last.

          Dm   Am| Em Am |
(I'm not in love.)

Dm   Am   Em   Am | Dm Am | Em Am |
   The time is now

F   G
   Let's make this moment last.

Chorus 5

Dm   Am   Em   Am
   Give up your - self unto the moment,

Dm   Am   Em   F
   The time is now.

Dm   Am   Em   Am
   Give up your - self unto the moment,

F   G
   Let's make this moment,

Am
Last.

These Boots Are Made For Walking

Words & Music by
Lee Hazlewood

Intro

| E | E | E | E |

| E | E | E | E |

Verse 1

E
You keep saying you've got something for me.

Something you call love, but confess.

A
You've been messin' where you shouldn't have been a messin'
E
And now someone else is gettin' all your best.

Chorus 1

      G   E
These boots are made for walking,
     G   E
And that's just what they'll do
G   E   N.C.
One of these days these boots are gonna walk all over (you).

Link 1

| E | E | E | E |
  you.

| E | E | E | E |
    Yeah!

Verse 2

E
You keep lying, when you oughta be truthin'

And you keep losin' when you oughta not bet.

A
You keep samin' when you oughta be a-changin'.

      E
Now what's right is right, but you ain't been right yet.

© Copyright 1965 & 1966 Criterion Music Corporation, USA.
Marada Music Limited.
All Rights Reserved. International Copyright Secured.

Chorus 2
          G   E   G   E
These boots are made for walking, and that's just what they'll do
G   E   **N.C.**
One of these days these boots are gonna walk all over (you).

Link 2
| E | E | E | E | E | E | E | E |
you.

Verse 3
E
You keep playin' where you shouldn't be playin'

And you keep thinkin' that you'll never get burnt, ha!
A
I just found me a brand new box of matches, yeah
E
And what he know you ain't have time to learn.

Chorus 3
          G   E   G   E
These boots are made for walking, and that's just what they'll do
G   E   **N.C.**
One of these days these boots are gonna walk all over (you).

Link 3
| E | E | E | E |
you.
E
  Are you ready boots? Start walkin'!

Outro
‖: E | E | E | E :‖   *Repeat to fade*

Toy Soldiers

Words & Music by
Michael Jay & Martika

Intro

E
Step by step,

B
Heart to heart,

C#m
Left right left,

    Bbm7b5   A   B   C#m
We all   fall down   like toy soldiers.

Verse 1

A   B   A
   It wasn't my intention to mis - lead you

                         B   C#m
It never should have been this way,

B   C#m
What can I say?

A   B   A
   It's true I did extend the invi - tation

                    C#m   B A B
I never knew how long you'd stay.

Pre-chorus 1

           C#m   B   A
When you hear temp - tation call

B   C#m   B   Asus2 A
It's your heart that takes, takes a fall

Won't you come out and play with me?

Chorus 1

E
Step by step

B
Heart to heart

© Copyright 1990 Famous Music Publishing Limited.
All Rights Reserved. International Copyright Secured.

cont.

C#m
Left right left

   Bbm7b5   A   B   C#m   B/Eb
We all   fall down like toy soldiers.

E
Bit by bit

B
Torn apart

   C#m
We never win

    Bbm7b5   A   B   C#m
But the battle   wages on   for toy soldiers.

Verse 2

A   B   A
  It's getting hard to wake up in the morn - ing

                    B   C#m
My head is spinning con - stant - ly

B   C#m
How can it be

A   B
  How could I be so blind to this addiction

A   C#m   B A B
If I don't stop the next one's gonna be me.

Pre-chorus 2

     C#m   B   A
Only empti - ness re - mains

B   C#m B Asus2   A
It re - places all, all   the pain

Won't you come out and play with me?

Chorus 2   As Chorus 1

Guitar Solo | E F#m | B A/C# B/Eb |

            | E F#m | G#m | G#m   ‖

Pre-chorus 2 As Pre-chorus 2

Chorus 3   As Chorus 1 *(Repeat to fade)*

Waking Up

Words & Music by
Justine Frischmann, Jean-Jacques Burnel, Hugh Cornwell,
Jet Black & David Greenfield

Intro | **A⁵** **C⁵** | **G⁵** **A⁵** | **A⁵** **D⁵** | **G⁵** **A⁵** |

| **A⁵** **C⁵** | **G⁵** **A⁵** | **A⁵** **D⁵** | **G⁵** **A⁵** |

| **A⁵** **C⁵** | **G⁵** **A⁵** | **A⁵** **D⁵** | **G⁵** **A⁵** |

| **A⁵** | **A⁵** | **A⁵** | **A⁵** | **A⁵** ‖

Verse 1

      A⁵   **C⁵** **G⁵**   **A⁵**
I'd work very hard, but I'm lazy

    A⁵   **D⁵**   **G⁵**   **A⁵**
I can't take the pressure and it's starting to show.

  A⁵   **C⁵**   **G⁵**   **A⁵**
   In my heart, you know how it pains me,

    A⁵   **D⁵**   **G⁵**   **A⁵**
A life of leisure is no life you know.

Chorus 1

  A⁵   **C⁵**   **G⁵**   **A⁵**
Waking up and getting up has never been easy,

  A⁵ **D⁵** **G⁵**   **A⁵**
Oh,   I think you should know

  A⁵   **C⁵**   **G⁵**   **A⁵**
Waking up and getting up has never been easy,

  A⁵ **D⁵** **G⁵**   **A⁵**
Oh,   I think you should know,

  A⁵ **D⁵** **G⁵**   **A⁵**
Oh,   I think you should go

  F
   Make a cup of tea

  E
   And put a record on.

© Copyright 1994 EMI Music Publishing Limited (60%)/Complete Music Limited (40%).
All Rights Reserved. International Copyright Secured.

Instrumental 1 | A5 C5 | G5 A5 | A5 D5 | G5 A5 |

| A5 C5 | G5 A5 | A5 D5 | G5 A5 |

| A5 | A5 | A5 | A5 | A5 ‖

Verse 2
         A5   C5   G5   A5
I'd work very hard,   but I'm lazy,
         A5   D5   G5   A5
I've got a lot of songs but they're all in my head.
A5   C5   G5   A5
I'll get a gui - tar and a lover who pays me
         A5   D5   G5   A5
If I can't be a star I won't get out of bed.

Chorus 2   As Chorus 1

Instrumental 2 | A5 | G5 | A5 | G5 |

| A5 | G5 | A5 | G5 |

| A5 C5 | G5 A5 | A5 D5 | G5 A5 |

| A5 C5 | G5 A5 | A5 D5 | G5 A5 |

| A5 C5 | G5 A5 | A5 D5 | G5 A5 |

| A5 C5 | G5 A5 | A5 D5 | G5 A5 | A5 ‖

Chorus 3   As Chorus 1

                 | Am ‖

Walk On By

Words by Hal David
Music by Burt Bacharach

Intro
| Am⁷ | Am⁷ ‖

Verse 1

Am⁷
If you see me walking down the street
      D   Am⁷ D   Am⁷
And I start to cry   each time we meet
D   Gm⁷ Am⁷   Gm⁷
Walk on by,   walk on by.
Am⁷
Make believe
    Dm⁷
That you don't see the tears,
     Am⁷   B♭maj⁷
Just let me grieve in private
              C   Fmaj⁷
'Cause each time I see you, I break down and cry.

Chorus 1

B♭add♯11   Fmaj⁷   B♭add♯11
  Walk on by   (don't stop),
              Fmaj⁷   B♭add♯11
Walk on by (don't stop),
            Fmaj⁷
Walk on by. _____

Verse 2

Am⁷
I just can't get over losing you
    D   Am⁷ D   Am⁷
And so if I seem broken in two
D   Gm⁷ Am⁷   Gm⁷
Walk on by,   walk on by.

© Copyright 1964 New Hidden Valley Music Company/Casa David Music Incorporated, USA.
Universal/MCA Music Limited (50%)/Windswept Music (London) Limited (50%).
All Rights Reserved. International Copyright Secured.

Am⁷
Foolish pride,

Dm⁷   **Am⁷**
That's all that I have left, so let me hide

B♭maj⁷   **C**
The tears and the sadness you gave me

             Fmaj⁷ **B♭add♯4**
When you said goodbye. _____

Chorus 2

      Fmaj⁷ **B♭add♯11**
Walk on by (don't stop),

      Fmaj⁷ **B♭add♯11**
Walk on by (don't stop),

      Fmaj⁷ **B♭add♯11**
Walk on by (don't stop),

So walk (on.)

Link

| **Am⁷** | **Am⁷ D** | **Am⁷ D** | **Am⁷ D** | **Am⁷ D** ‖

on. _____

Verse 3

Am⁷   **Gm⁷ Am⁷**   **Gm⁷**
  Walk on by,   walk on by,

Am⁷
Foolish pride,

      Dm⁷   **Am⁷**
That's all that I have left, so let me hide

B♭maj⁷   **C**
The tears and the sadness you gave me

            Fmaj⁷ **B♭add♯11**
When you said goodbye. _____

Chorus 3

      Fmaj⁷ **B♭add♯11**
Walk on by (don't stop),

      Fmaj⁷ **B♭add♯11**
So walk on by (don't stop),

                    Fmaj⁷   **B♭add♯11**
Now you really gotta go so walk on by (don't don't stop),

                    Fmaj⁷   **B♭add♯11**
Baby leave me, never see the tears I cry (don't, don't stop),

                    Fmaj⁷   **B♭add♯11**
Now you really gotta go so walk on by (don't, don't stop).

Torn

Words & Music by
Anne Preven, Phil Thornalley & Scott Cutler

Intro | **F5** | **Fsus4** | **F** | **Fsus2/4** ‖

Verse 1

    F   **Am7**
  I thought I saw a man brought to life,

                                        B♭7
He was warm, he came around like he was dignified,

He showed me what it was to cry.

F   **Am7**
  Well you couldn't be that man I adored,

You don't seem to know,

                   B♭7
Don't seem to care what your heart is for,

But I don't know him anymore.

Pre-chorus 1

         Dm
There's nothing where he used to lie,

C
  My conversation has run dry,

Am
  That's what's going on,

C   **F**
  Nothing's fine, I'm torn.

© Copyright 1997 Universal/Island Music Limited (33.34%)/
EMI Music Publishing Limited (33.33%)/BMG Music Publishing Limited (33.33%).
All Rights Reserved. International Copyright Secured.

Chorus 1

C
I'm all out of faith,

Dm
This is how I feel,

B♭
I'm cold and I am shamed

F
Lying naked on the floor.

C   Dm
Illusion never changed into something real,

B♭   F
Wide awake and I _ can see the perfect sky is torn,

C
You're a little late,

Dm
I'm already torn.

Verse 2

F   Am7
  So I guess the fortune teller's right.

I should have seen just what was there

B♭7
And not some holy light,

But you crawled beneath my veins.

Pre-chorus 2

Dm
And now I don't care, I had no luck,

C
  I don't miss it all that much,

Am
  There's just so many things

C   F
  That I can search, I'm torn.

Chorus 2

As Chorus 1

Dm   B♭
Torn

D5   F   C
Oo, oo, oo. _____

Pre-chorus 3

    Dm
There's nothing where he used to lie,

    C
  My inspiration has run dry,

Am
  That's what's going on,

C   **F**
  Nothing's right, I'm torn.

Chorus 3

       C
I'm all out of faith,

      Dm
This is how I feel,

            B♭
I'm cold and I am shamed,

          F
Lying naked on the floor.

           C   **Dm**
Illusion never changed into something real,

         B♭   **F**
Wide awake and I _ can see the perfect sky is torn.

Chorus 4

       C
I'm all out of faith,

      Dm
This is how I feel,

            B♭
I'm cold and I'm ashamed,

          F
Bound and broken on the floor.

      C
You're a little late,

         Dm   **B**♭
I'm already torn...

Dm   **C**
Torn...

Repeat Chorus ad lib. to fade

Weak

Words & Music by
Skin, Richard Lewis, Martin Kent & Robert France

Intro   ‖: **Em** D C │ **C**   :‖

Verse 1
Em   D   **C**
    Lost in time I can't count the words
  Em   **D**   **C**
I said when I thought they went unheard.
Em   **D**   **C**
All of those harsh thoughts so unkind
     Em   **D C**
'Cos I wanted you.

Verse 2
    Em   **D**   **C**
And now I sit here   I'm all   alone
   Em   **D**   **C**
So here sits a bloody mess, tears fly home
  Em   **D**   **C**
A circle of angels, deep in war
    Em   **D C**
'Cos I wanted you.

Chorus 1
    Em D C
Weak as I am, no tears for you,
    Em D C
Weak as I am, no tears for you,
    Em D   C
Deep as I am, I'm no ones fool,
    Em D C
Weak as I am.

© Copyright 1995 Chrysalis Music Limited.
All Rights Reserved. International Copyright Secured.

Verse 3

    Em   **D**   **C**
So what am I now, I'm love last home,

    Em   **D**   **C**
I'm all of the soft words I once owned.

    Em   **D**   **C**
If I opened my heart, there'd be no space for air

    Em   **D C**
'Cos I wanted you.

Chorus 2   As Chorus 1

Middle

G   **A**
  In this tainted soul,

    C
In this weak young heart,

    D
Am I too much for you?

G   **A**
  In this tainted soul,

    C
In this weak young heart,

    D
Am I too much for you?

G   **A**
  In this tainted soul.

    C
In this weak young heart.

    D | **D** |
Am I too much for you?

Chorus 3

       Em D C
Weak as I am,

       Em D C
Weak as I am,

       Em D C
Weak as I am,

       Em D C
Weak as I am, am, am.

Chorus 4

       Em
Weak as I am,

  D   C
Am I too much for you?

       Em
Weak as I am,

  D   C
Am I too much for you?

       Em
Weak as I am,

  D   C
Am I too much for you?

       Em   D   C
Weak as I am.

Outro   ‖: **Em D C** | **C**   :‖ *Play 4 times*

What I Am

Words & Music by
Edie Brickell, Kenneth Withrow, John Houser,
John Bush & Brandon Aly

Intro
‖: Bsus² | Dsus² | Asus² | Bsus² :‖

Verse 1
Bsus²   Dsus²
I'm not aware of too many things,
   Asus²   Bsus²
I know what I know if you know what I mean.

| Bsus² | Dsus² | Asus² | Bsus² |
Bsus²   Dsus²
I'm not aware of too many things,
   Asus²   Bsus²
I know what I know if you know what I mean.

| Bsus² | Dsus² | Asus² | Bsus² ‖

Verse 2
          Bsus² Dsus² Asus²   Bsus²
Philosophy   is the talk on a cereal box,
          Dsus² Asus²   Bsus²
Religion   is the smile on a dog.
Bsus²   Dsus²
I'm not aware of too many things,
   Asus²   Bsus²
I know what I know if you know what I mean.

| Bsus² | Dsus² | Asus² | Bsus² ‖

Pre-chorus 1
Em   D
Choke me in the shallow water
    Em   D
Before I get too deep.

© Copyright 1988 Geffen Music/Edie Brickell Songs/Withrow Publishing/
Enlightened Kitty Music/Strange Mind Productions, USA.
Universal/MCA Music Limited.
All Rights Reserved. International Copyright Secured.

Chorus 1

Bsus² Dsus²
What I am is what I am.

    Asus²   Bsus²
Are you what you are or what?

Bsus² Dsus²
What I am is what I am.

    Asus²   Bsus²
Are you what you are or what?

Verse 3

Bsus²   Dsus²
I'm not aware of too many things,

  Asus²   Bsus²
I know what I know if you know what I mean.

| Bsus² | Dsus² | Asus² | Bsus² |

  Bsus² Dsus² Asus²   Bsus²
Philosophy   is a walk on the slippery rocks,

        Dsus² Asus²   Bsus²
Religion   is a   light in the fog.

Bsus²   Dsus²
I'm not aware of too many things,

  Asus²   Bsus²
I know what I know if you know what I mean.

| Bsus² | Dsus² | Asus² | Bsus² ‖

Pre-chorus 2

  Em   D
‖: Choke me in the shallow water

  Em   D
Before I get too deep. :‖

Chorus 2

Bsus² Dsus²
What I am is what I am.

    Asus²   Bsus²
Are you what you are or what?

Bsus² Dsus²
What I am is what I am.

    Asus²   Bsus²
Are you what you are or what?

Bsus² Dsus²
What I am is what I am.

    Asus²   Bsus²
Are you what you are or what you are?

Bsus² Dsus²
What I am is what I am.

    Asus²   Bsus²
Are you what you are or   what?

Middle

Em   **D**
Ha, la la la,

Em
I say, I say, I say.

D
I do, hey, hey, hey, hey hey.

Guitar Solo   ‖: **Bsus²** | **Dsus²** | **Asus²** | **Bsus²** :‖ *Play 8 times*

Pre-chorus 3   As Prechorus 2

Verse 4

Bsus²   **Dsus²**
Choke me in the shallow water

    Asus²   **Bsus²**
Before I get too deep.

Bsus²   **Dsus²**
Choke me in the shallow water

    Asus²   **Bsus²**
Before I get too deep.

Bsus²   **Dsus²**
Choke me in the shallow water

    Asus²   **Bsus² Dsus² Asus²**
Before I get too   deep.

Bsus²
  Don't let me get too deep.

Dsus²   **Asus²**
  Don't let me get too deep.

Bsus²
  Don't let me get too deep.

Dsus²   **Asus² Bsus²**
Don't let me get too deep.

Chorus 3   ‖: As Chorus 2 :‖ *Repeat to fade*

Whenever, Wherever

Words by Shakira & Gloria Estefan
Music by Shakira & Tim Mitchell

Capo second fret

Intro   ‖: Bm | Bm | Em | A   :‖

Verse 1

Bm
Lucky you were born that far away so
F♯m
    We could both make fun of distance.
G
Lucky that I love a foreign land for
D   **A**
The lucky fact of your existence.
Bm
Baby I would climb the Andes solely
F♯m
    To count the freckles on your body.
G
Never could imagine there were only
D   **A**
    Ten million ways to love somebody.

Bridge 1

Em
Le, do, le, le, le, le,
Bm
Le, do, le, le, le, le.
G
Can't you see,
(A)
I'm at your feet.

Chorus 1

Bm   **G**
    Whenever,   wherever,
D   **A**
    We're meant to be together,
Bm   **G**
I'll be there and you'll be near,

© Copyright 2002 Aniwi Music LLC/Sony/ATV Latin Music Publishing LLC/
F.I.P.P.International, USA.
Sony/ATV Music Publishing (UK) Limited.
All Rights Reserved. International Copyright Secured.

cont.

Em   **A**
And that's the deal my dear.

Bm   **G**
There over, here under,

D   **A**
You'll never have to wonder,

Bm   **G**
We can always play by ear,

Em   **A**
But that's the deal my dear.

Interlude 1

| **Bm** | **Bm** | **Em** | **A** | |
| **Bm** | **Bm** | **Em** | **A** | **N.C.** | **N.C.** |

Verse 2

Bm
Lucky that my lips not only mumble,

F♯m
They spill kisses like a fountain.

G
Lucky that my breasts are small and humble,

D   **A**
So you don't confuse them with mountains.

Bm
Lucky I have strong legs like my mother,

F♯m
To run for cover when I needed.

G
And these two eyes that for no other,

D   **A**
The day you leave will cry a river.

Bridge 2

Em
Le, do, le, le, le, le,

Bm
Le, do, le, le, le, le.

G
At your feet,

(A)
I'm at your feet.

Chorus 2   As Chorus 1

Interlude 2	Bm	Bm	Em	A	
	Bm	Bm	N.C.	N.C.	

Middle

Em
Le, do, le, le, le, le,

Bm
Le, do, le, le, le, le.

G
Think out loud,

A
Say it again.

Em
Le, do, le, le, le, le,

Bm
Tell me one more time,

G
That you'll live,

A　　　　　|**N.C.**　|**N.C.**　|
Lost in my eyes.

Chorus 3

Bm　　　　**G**
Whenever,　wherever,

D　　　　　**A**
　We're meant to be together,

Bm　　　　　**G**
I'll be there and you'll be near,

Em　　　　　　**A**
　And that's the deal my dear.

Bm　　　　**G**
　There-over,　here-under,

D　　　　　**A**
You've got me head over heels,

Bm　　　　　　**G**
　There's nothing left to fear,

Em　　　　　　　　**A**
　If you really feel the way I feel.

Chorus 4　　　As Chorus 3

Outro

Bm	Bm	Em	Em	
Bm	Bm	N.C.	N.C.	

What's Up

Words & Music by
Linda Perry

Intro	|A |Bm |D Dsus² |A Asus² |A Asus² |
	|Bm |D Dsus² |A Asus² |

Verse 1

A   **Asus²**
   25 years of my life and still

Bm   **D**
I'm trying to get up that great big hill of hope

     Dsus²   **A**
For a destin - ation.

Asus²   **A**
   And I realised quickly when I knew I should

Asus²   **Bm**
That the world was made up of this

        D
Brotherhood of man,

    Dsus²   **A**
For whatever that means.

Pre-chorus 1

Asus²   **A**
And so I cry sometimes when I'm lying in bed

Asus² **Bm**
Just to get it all out, what's in my head

     D   **Dsus²** **A**
And I,   I am feeling a little peculiar.

Asus²   **A**
And so I wake in the morning and I step

       Asus² **Bm**
Outside and I   take deep breath

And I get real high

     D
And I   scream from the top of my lungs,

       Dsus² **A**
"What's goin'   on?"

© Copyright 1993 Famous Music Corporation, USA.
All Rights Reserved. International Copyright Secured.

Chorus 1

                  Asus²   A   Asus²
And I   say, "Hey, yeah, yeah, yeah,

Bm
Hey, yeah, yeah."

           D   **Dsus²** **A**
I said "Hey, what's goin'   on?"

          Asus²   A   Asus²
And I say,   "Hey, yeah, yeah, yeah,

Bm
Hey, yeah, yeah."

           D   **Dsus²** **A**
I said "Hey, what's goin'   on?"

Link 1   ‖: A   Asus²│ Bm   │ D   Dsus²│ A   Asus² :‖

Verse 2

       A   Asus² **Bm**
And I try, oh my God do I   try,

       D
I try all the time

       Dsus² A
In this insti - tution.

Asus² **A**   **Bm**
And I pray, oh my God do I pray,

         D
I pray every single day

       Dsus² A
For a revo - lution.

Pre-chorus 2   As Pre-chorus 1

Chorus 2   As Chorus 1

Link 2   │ A   Asus²│ Bm   │ D   Dsus²│ A   Asus²‖

Outro

  A   **Asus²**
   25 years and my life is still,

     Bm   **D**
I'm trying to get up that great big hill of hope

      Dsus⁴ D   Dsus² A
For a   des - ti   -   nation.

You're So Vain

**Words & Music by
Carly Simon**

(Am7)

Intro   *Whispered:*   Son of a gun...

| Am7 | Am7 | Am7 | Am7 | Am7 | Am7 ||

Am7

Verse 1   You walked into the party
                              F   **Am7**
              Like you were walking onto a yacht,

              Your hat strategically dipped below one eye,
                      F   **Am7**
              Your scarf it was apricot.
                      F   **G**   **Em**   **Am7**
              You had one eye in the mirror as
                      F   **C**
              You watched yourself gavotte.
                              G   **F**
              And all the girls dreamed that they'd be your partner,

              They'd be your partner and...

              C

Chorus 1   You're so vain,
                      Dm7   **C**
              You probably think this song is about you.
                              Am
              You're so vain (you're so vain)
                      F   **G7add13**
              I bet you think this song is about you,

              Don't you, don't you?

© Copyright 1972 Quackenbush Music Limited, USA.
Universal Music Publishing Limited.
All Rights Reserved. International Copyright Secured.

Verse 2

       Am7
Oh, you had me several years ago
  F   **Am7**
When I was still quite naïve;

Well you said that we made such a pretty pair,
   F   **Am7**
And that you would never leave.
     F   **G**   **Em**   **Am7**
But you gave away the things you loved
   F   **C**
And one of them was me.
        G   **F**
I had some dreams, they were clouds in my coffee,

Clouds in my coffee, and...

Chorus 2

   C
   You're so vain,
   Dm7   **C**
You probably think this song is about you.
        Am
You're so vain (you're so vain)
 F   **G7add13**
I bet you think this song is about you,

Don't you, don't you, don't you?

Guitar solo ‖: Am7 | Am7 | F | Am7 :‖

      | F   G | Em Am7 | F   ‖

Bridge

   C   **G**   **F**
I had some dreams, they were clouds in my coffee,

Clouds in my coffee and...

Chorus 3

   C
   You're so vain,
   Dm7   **C**
You probably think this song is about you.
        Am
You're so vain (you're so vain)
 F   **G7add13**
I bet you think this song is about you,

Don't you, don't you?

Verse 3

Am7
Well I hear you went up to Saratoga

F   Am7
And your horse naturally won,

Then you flew your Lear jet up to Nova Scotia

F   Am7
To see the total eclipse of the sun.

F   G   Em   Am7
Well, you're where you should be all the time,

F   C
And when you're not you're with

G   F
Some underworld spy or the wife of a close friend,

Wife of a close friend and ...

Chorus 4

C
You're so vain,

Dm7   C
You probably think this song is about you.

Am
You're so vain (you're so vain)

F   G7add13
I bet you think this song is about you,

Don't you, don't you, don't you?

Coda

| C | C | Dm7 | C |

C
‖: You're so vain,

Dm7   C
You probably think this song is about you. :‖ *Repeat to fade*

1 2 3 4 5 6 7 8 9